En avant
la grammaire !

Français langue seconde

Niveau
intermédiaire

2

marcel**didier**

Données de catalogage disponibles dans la base de données de Bibliothèque et Archives nationales du Québec

Les Éditions Marcel Didier reconnaissent l'aide financière du gouvernement du Canada par l'entremise du Fonds du livre du Canada (FLC) pour leurs activités d'édition.

Édition : Loïc Hervouet
Révision pédagogique : Louise Levac
Révision linguistique : Le juste mot
Correction d'épreuves : Élise Bergeron
Conception graphique et réalisation de la couverture : René St-Amand
Conception graphique et réalisation de l'intérieur : Louise Durocher
Illustrations : Yves Dumont

Copyright © 2012, Marcel Didier

ISBN : 978-2-89144-558-0

Dépôt légal – 4e trimestre 2012
Bibliothèque et Archives nationales du Québec
Bibliothèque et Archives Canada

Diffusion-distribution en Amérique du Nord :
Distribution HMH
1815, avenue De Lorimier
Montréal (Québec) H2K 3W6
www.distributionhmh.com

Diffusion-distribution en Europe :
Librairie du Québec/DNM
30, rue Gay-Lussac
75005 Paris France
www.librairieduquebec.fr

En Suisse :
Servidis S.A. GM
5, chemin des Chaudronniers
Case postale 3663
CH-1211 Genève 3 SUISSE
www.servidis.ch

Imprimé au Canada
www.marcel**didier**.com

Flavia Garcia

Cahier de perfectionnement

En avant
la grammaire !

Français langue seconde

Niveau
intermédiaire

2

marcel**didier**

PRÉFACE

Tous les intervenants en enseignement du français langue seconde se réjouiront de la parution de ce nouveau cahier qui vient compléter la collection *En avant la grammaire !* Nous connaissons ces livres qui proposent des activités de grammaire stimulantes et en contexte. Ce cahier de perfectionnement s'inscrit dans la même lignée. Apprendre à bien communiquer en français nécessite la maîtrise de plusieurs notions grammaticales, et les apprenants auront plaisir à perfectionner leurs connaissances par le biais de cet ouvrage.

Celui-ci présente huit thèmes grammaticaux, contenant des tableaux, des activités et des exercices. La sélection de ces thèmes est appropriée au niveau visé et chacun fait l'objet d'un rappel grammatical en début de chapitre. Ce rappel permet à l'enseignant d'évaluer de façon informelle les connaissances de l'apprenant et de le guider dans ses choix de contenu à réviser. Il permet aussi à l'apprenant d'améliorer ses connaissances et de s'y référer au moment opportun. Il s'agit en cela d'un outil privilégié pour tous les acteurs de la salle de classe.

Les sujets abordés dans les activités sont signifiants, actuels et stimulants : on y parle de jardin communautaire, d'environnement, de publicité ou de nourriture, entre autres. L'aspect culturel n'est pas négligé : il y est question de vedettes, tels Leonard Cohen ou Maurice Richard, de cinéma, d'évènements artistiques ou d'histoire. Les activités sont variées et dynamiques, et l'auteure y fait preuve d'une belle créativité. Les exercices permettent de mettre en pratique de façon systématique les notions de grammaire enseignées. Ainsi, perfectionner sa grammaire du français sera plus motivant pour l'apprenant.

Les activités de ce cahier font la démonstration que grammaire et plaisir peuvent former un duo très efficace dans l'apprentissage d'une langue. En français, la maîtrise de la grammaire est un incontournable quand on veut se perfectionner et communiquer efficacement. Grâce à ce cahier, enseignants et apprenants auront à leur disposition un matériel pratique et stimulant.

MARGUERITE HARDY
Didacticienne
Coordonnatrice du programme UQAM-MICC
Université du Québec à Montréal

AVANT-PROPOS

Destinés à l'enseignement du français langue seconde de niveau intermédiaire aux jeunes et aux adultes, les exercices de ce cahier ciblent certaines particularités grammaticales déjà présentes dans les ouvrages de la collection *En avant la grammaire !* Il constitue un outil idéal qui leur permettra d'apprendre à communiquer en français tant à l'oral qu'à l'écrit, en intégrant les formes correctes des énoncés.

Chaque sujet est présenté selon une double perspective : le fonctionnement syntaxique et morphologique d'un élément grammatical, et son utilisation concrète dans des contextes de communication variés, riches et signifiants. Les structures ou éléments grammaticaux explorés dans les activités s'imbriquent parfaitement aux cadres de communication, entre autres grâce à des mises en situation. Les chapitres comptent deux parties :

- un rappel grammatical pour aider les étudiants à avoir une vue d'ensemble d'une particularité grammaticale et de ses caractéristiques syntaxiques et morphologiques ;

- des activités et des exercices de grammaire axés sur la communication leur permettant de s'exercer, à l'oral ou à l'écrit, à maîtriser certains aspects du fonctionnement grammatical du français.

En avant la grammaire ! se veut un outil de communication pratique et comporte des exemples de différents registres de langue afin de rendre compte de la diversité des choix linguistiques possibles en français. Ainsi, des expressions appartenant au français familier, couramment utilisées à l'oral, côtoient des exemples de français soutenu, surtout présents dans le discours écrit.

Enfin, pour l'ordre de présentation des chapitres et des particularités grammaticales, nous avons évité la gradation allant du plus simple au plus complexe. Les exercices et activités de ce cahier se présentent plutôt comme une banque de ressources pouvant être consultées au gré des besoins et des difficultés des étudiants.

FLAVIA GARCIA

ABLE DES MATIÈRES

1 LES DÉTERMINANTS

Le déterminant est placé devant le nom. Voici les principales catégories de déterminants.

Les déterminants définis

Singulier	Masculin	le / l'	Ex. : le garçon, l'hôtel
	Féminin	la / l'	Ex. : la gare, l'omelette
Pluriel	Masculin et féminin	les	Ex. : les amis, les maisons

Les déterminants indéfinis

Singulier	Masculin	un	Ex. : un garçon, un hôtel
	Féminin	une	Ex. : une gare, une omelette
Pluriel	Masculin et féminin	des	Ex. : des amis, des maisons

Les déterminants démonstratifs

Singulier	Masculin	ce / cet	Ex. : ce garçon, cet hôtel
	Féminin	cette	Ex. : cette gare, cette omelette
Pluriel	Masculin et féminin	ces	Ex. : ces amis, ces maisons

Les déterminants possessifs

Possesseurs	Singulier		Pluriel	Exemples
	Masculin	Féminin	Masculin et féminin	
je	mon	ma	mes	mon voisin, ma voiture, mes livres
tu	ton	ta	tes	ton copain, ta fourchette, tes pieds
il / elle / on	son	sa	ses	son visage, sa chemise, ses amis
nous	notre	notre	nos	notre chat, notre maison, nos enfants
vous	votre	votre	vos	votre camion, votre histoire, vos études
ils / elles	leur	leur	leurs	leur emploi, leur télévision, leurs affaires

Les déterminants partitifs

Singulier	Masculin	**du / de l'**	du vin, de l'argent
	Féminin	**de la / de l'**	de la confiture, de l'eau
Pluriel	Masculin et féminin	**des**	des gâteaux, des pommes

Remarque

À la forme négative, les déterminants partitifs sont remplacés par **de**.
On utilise alors la forme **pas de** ou **pas d'**.

Ex. : Je bois **du** vin. ⟶ Je ne bois pas de vin.
Je prends **de l'**eau. ⟶ Je ne prends pas d'eau.

Les déterminants quantifiants

Quelques déterminants quantifiants	Exemple
un peu de	Il reste un peu de confiture.
beaucoup de	Il y a beaucoup de mouches ici.
un litre de	J'achète un litre de lait.
un paquet de	Je cherche un paquet de farine.
une tasse de	J'ai besoin d'une tasse de thé.
une morceau de	Ils prennent un morceau de gâteau.

Autres déterminants

Autres déterminants courants	Exemple
chaque	Je me lève à 7 h chaque matin.
aucun / aucune	Cela ne fait aucune différence.
un autre / une autre **d'autres / plusieurs autres** **beaucoup d'autres**	Tu as pris un autre chemin pour aller à l'aéroport.
différents / différentes	Différentes personnes sont venues nous voir.
n'importe quel / n'importe quelle **n'importe quels / n'importe quelles**	Je prends n'importe quel vol pour Toronto ce matin.
quelques	Cet outil ne coûte que quelques dollars.
plusieurs	Plusieurs personnes ont assisté au spectacle.

1. Les déterminants partitifs et quantifiants

La liste d'épicerie

Complétez la colonne de droite en ajoutant un quantifiant approprié devant le nom, comme dans l'exemple. Dans l'encadré, vous trouverez des exemples de quantifiants.

un pot de – un paquet de – un – une – un kilo de – un verre de – une bouteille de
une gousse de – un morceau de – une tasse de – un contenant de – 100 g de – un peu de
un litre de – une douzaine de – une tranche de – une boîte de

Exemple **des** œufs   une douzaine d'œufs

1. **du** jus de pomme _____

2. **de l'**eau _____

3. **de la** confiture _____

4. **du** pain _____

5. **des** tomates _____

6. **du** lait _____

7. **de l'**ail _____

8. **du** poulet _____

9. **des** petits pois _____

10. **du** vin _____

11. **de la** limonade _____

12. **des** croûtons _____

13. **de la** farine _____

14. **du** beurre _____

15. **des** boissons gazeuses _____

16. **de la** laitue _____

17. **du** poivre _____

18. **de l'**huile _____

19. **des** oignons _____

2. Les déterminants partitifs, définis et quantifiants, et la forme *pas de*

Décrire ses goûts et ses préférences

Complétez les phrases à l'aide des déterminants appropriés. Aidez-vous de l'exemple.

Déterminants définis	Déterminants indéfinis ou partitifs	Déterminants quantifiants	Forme négative
Exemple			
J'aime les tomates.	Je mange des tomates.	J'achète un kilo de tomates.	Je n'achète pas de tomates.
1. Je préfère _____ pommes.	Je mange _____ pomme.	Je prends _____ pommes.	Je ne prends pas _____ pommes.
2. Je n'aime pas _____ lait.	Je bois _____ lait régulièrement.	J'achète _____ lait.	Je n'achète pas _____ lait.
3. J'aime bien _____ vin rouge.	Je prends parfois _____ vin rouge.	J'achète _____ vin rouge.	Je n'achète pas _____ vin rouge.
4. Je déteste _____ bananes.	Je mange _____ bananes.	J'achète _____ bananes.	Je n'achète pas _____ bananes.
5. J'aime _____ eau fraîche.	Je bois _____ eau fraîche.	J'ai _____ eau fraîche.	Je n'ai pas _____ eau fraîche.
6. J'aime _____ chocolat.	Je mange _____ chocolat.	J'ai _____ chocolat.	Je n'ai pas _____ chocolat.
7. Je déteste _____ confiture aux abricots.	J'achète _____ confiture aux abricots.	J'ai _____ confiture aux abricots.	Je ne mange pas _____ confiture aux abricots.
8. J'aime bien _____ crème glacée.	Je prends _____ crème glacée.	Je mange _____ crème glacée.	Je ne mange pas _____ crème glacée.
9. Je préfère _____ poulet rôti.	Je mange _____ poulet rôti.	J'achète _____ poulet rôti.	Je ne mange pas _____ poulet rôti.
10. Je n'aime pas _____ oignons.	J'ajoute _____ oignons tranchés dans ma salade.	J'achète _____ oignons.	Je n'ai pas _____ oignons.

3. Les déterminants partitifs et quantifiants, et la forme *pas de*

Recettes orientales

Lisez les deux recettes ci-dessous puis complétez les phrases à l'aide des déterminants appropriés. Dites si l'énoncé est vrai ou faux, en vous inspirant de l'exemple.

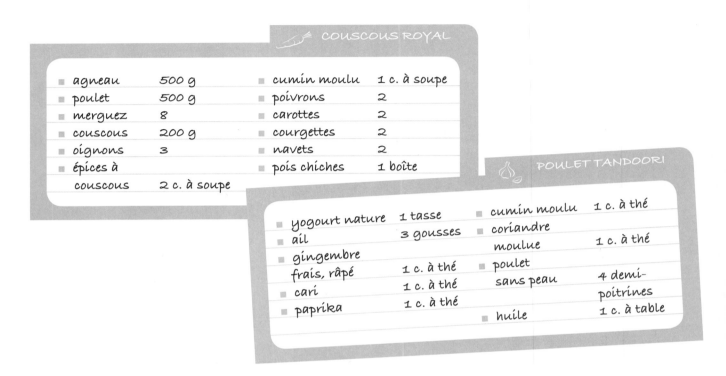

COUSCOUS ROYAL

■ agneau	500 g	■ cumin moulu	1 c. à soupe
■ poulet	500 g	■ poivrons	2
■ merguez	8	■ carottes	2
■ couscous	200 g	■ courgettes	2
■ oignons	3	■ navets	2
■ épices à		■ pois chiches	1 boîte
couscous	2 c. à soupe		

POULET TANDOORI

■ yogourt nature	1 tasse	■ cumin moulu	1 c. à thé
■ ail	3 gousses	■ coriandre moulue	1 c. à thé
■ gingembre frais, râpé	1 c. à thé	■ poulet sans peau	4 demi-poitrines
■ cari	1 c. à thé		
■ paprika	1 c. à thé	■ huile	1 c. à table

	VRAI	FAUX
Exemple Dans le poulet tandoori, il y a du gingembre.	✓	
1. La recette de couscous royal comprend 1 kilo _____ agneau.		
2. Il faut _____ ail pour préparer le poulet tandoori.		
3. Il y a _____ cumin moulu dans les deux recettes.		
4. Il y a _____ épices dans les deux recettes.		
5. Il n'y a pas _____ légumes dans le poulet tandoori.		
6. Dans le couscous royal, on met _____ yogourt.		
7. Une cuillère à thé _____ cari est nécessaire pour préparer le poulet tandoori.		
8. La boîte _____ pois chiches est un ingrédient irremplaçable dans le couscous royal.		
9. Dans la recette de couscous royal, il n'y a pas _____ huile.		

4. Les déterminants partitifs, définis et contractés avec *à* et *de*, et la forme négative *pas de*

À chacun son remède

Complétez les phrases à l'aide des déterminants définis, contractés, quantifiants ou partitifs appropriés, ainsi que de la forme *pas de*, comme indiqué dans l'exemple.

Insomniaques	Asthmatiques	Obèses	Anxieux
Exemple			
Vous ne devez pas prendre de café.	Vous ne devez pas avoir d'animaux à la maison.	Vous devez boire beaucoup d'eau.	Vous devez éviter les situations stressantes.
Il vaut mieux éviter _____ chambres bruyantes.	Vous devez faire _____ sport.	Attention _____ sucreries.	Vous pouvez consulter _____ livres sur le sujet.
Vous ne devez pas faire _____ sport au moins trois heures avant de vous coucher.	Pratiquer _____ yoga peut aider.	Ne mangez pas _____ pâtes, ne prenez pas _____ pain pendant les repas.	Il faut apprendre à identifier _____ symptômes _____ stress.
Évitez _____ stress	L'utilisation _____ pompe est recommandée.	Faites _____ exercice.	Vous pouvez essayer _____ remèdes tels que la valériane.
Ne mettez pas _____ télévision dans la chambre à coucher.	Attention _____ stress : une situation stressante peut conduire à une crise d'asthme.		

5. Les déterminants possessifs

Cartes de vœux

Complétez les cartes de vœux à l'aide des déterminants possessifs appropriés, comme dans l'exemple.

Toutes **mes** condoléances. **Mes** pensées vous accompagnent.

1.

Recevez _____ plus sincères salutations.
Caroline et Nicolas

2.

À l'occasion de _____ anniversaire de mariage, recevez, chers amis, tous _____ vœux de bonheur.

3.

Veuillez agréer l'expression de _____ sentiments les meilleurs.

4.

Que tous _____ rêves se réalisent.

5.

Que cette nouvelle année t'apporte la réussite dans tous _____ projets.

6.

À l'occasion de cette nouvelle année, je te présente _____ vœux de bonheur, à toi et à _____ famille.

7.

Pour fêter _____ dix ans ensemble, il faut du champagne ! Bon anniversaire.

8.

Recevez _____ meilleures salutations.
Nous sommes contents de _____ réussite.
Vous l'avez bien méritée.

9.

Toutes _____ félicitations, Véronique.
Vous avez réussi.

6. Les déterminants possessifs et les pronoms possessifs

Phrases à compléter

Complétez les phrases à l'aide du déterminant possessif ou du pronom possessif approprié, comme dans l'exemple.

Exemple	
Nos enfants passent leur été dans un camp d'immersion anglaise.	**Les nôtres** vont faire du ski.
1. Nicolas apporte souvent _____ portable en vacances.	Véronique n'apporte jamais _____ .
2. J'aime bien aller déjeuner avec _____ amies. Nous parlons de beaucoup de sujets intéressants.	Avec _____ , je vais souvent au cinéma.
3. _____ partenaire de danse est vraiment bon. Il sait faire plusieurs pas difficiles.	_____ danse depuis longtemps aussi, il me semble.
4. Prenez _____ numéro de cellulaire. Je ne suis pas souvent à la maison.	Prenez _____ aussi. C'est plus facile de me joindre par téléphone que par courriel.
5. Est-ce que le directeur a _____ adresse courriel?	Je crois que oui. En tout cas, moi, j'ai _____ .
6. J'attache toujours _____ bicyclette à un support à vélos.	Je laisse _____ à l'intérieur pour éviter les vols.
7. J'adore _____ cheveux. Dis donc, qui est ton coiffeur?	Mais voyons, le même que _____ . C'est toi qui me l'as référé.
8. _____ fille termine sa formation universitaire cette année.	_____ termine la sienne l'année prochaine.
9. Est-ce qu'on prend _____ voiture?	Non, j'ai laissé ma voiture au garage. Prenons plutôt _____ .

© 2012 Marcel Didier inc. - Reproduction interdite   17

7. Les déterminants démonstratifs et les pronoms démonstratifs

Dialogues

Complétez les phrases à l'aide du déterminant démonstratif ou du pronom démonstratif approprié, comme dans l'exemple.

Exemple — Vous prenez *ces* deux revues ?

— Je prends seulement *celle-ci*. Je laisse l'autre. Merci.

1. — Quel est le prix de _____ imperméable ?

— 150 $. Mais _____ est beaucoup moins cher. Regardez, c'est presque la même qualité.

2. — _____ année, je ne pars pas en vacances. _____ de l'année dernière on coûté cher et puis nous faisons des économies pour acheter une maison l'an prochain.

3. — Pardon, madame, est-ce que je peux vous prendre _____ deux chaises ?

— Je suis désolée, elles sont occupées, nous attendons deux personnes. Mais prenez _____ , elles sont libres.

— Merci bien.

4. — Qu'est-ce que tu fais avec _____ deux chiens ?

— _____ est à moi, le petit Lucky, mais l'autre est à mon voisin. Je le garde pendant une semaine.

— Ils sont mignons.

5. — Tu penses que _____ cravate pourrait plaire à Claude ?

— _____ ? Je ne sais pas. Je ne le connais pas beaucoup. Je crois qu'il aime plutôt les couleurs sobres.

— Alors, pourquoi pas _____ , la bleu marine, ça va avec tout.

— Tu as raison.

6. — Madame, pouvez-vous me dire le prix de _____ collier ?

— Avec plaisir. Laissez-moi regarder. Il est à 25 $.

— Merci.

7. — Marie-Pierre aimerait qu'on apporte quelques CD pour la soirée.

— Tiens, prends _____ , c'est de la musique du monde. Elle aime ça.

8. — Es-tu déjà allé manger au Coq au vin ?

— Oui, j'aime bien _____ resto. La cuisine est excellente, et ce n'est pas trop cher.

8. Les déterminants indéfinis

Coup d'œil sur les pubs

Complétez les phrases à l'aide d'un déterminant indéfini choisi dans l'encadré ci-dessous. Inspirez-vous de l'exemple et n'oubliez pas d'accorder correctement le déterminant indéfini, s'il y a lieu.

> différent – n'importe quel – d'autres – plusieurs – tout – certain
> aucun – chaque – un seul – plusieurs autres

Exemple

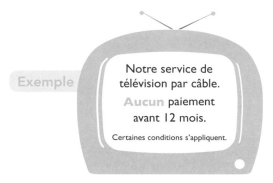

Notre service de télévision par câble. **Aucun** paiement avant 12 mois.

Certaines conditions s'appliquent.

1. **Venez nous voir !**
_____ **MODÈLES**
SONT OFFERTS.
_____ **PRIX.**

4. _____ conférence sera présentée une heure avant _____ concert.

7. _____ destinations vous attendent.

Voyages LAM

2. *N*ous vous présentons des extraits d'opéras célèbres et _____ œuvres du grand compositeur baroque Jean-Sébastien Bach.

5. _____ **NOS POINTS DE SERVICE SONT OUVERTS** du lundi au vendredi, de 9 h à 21 h. **APPELEZ-NOUS.**

8. **BILLETS ENCORE EN VENTE POUR _____ VOLS VERS L'EUROPE.**
Dépêchez-vous de réserver vos places.

3. _____ jour, *La Presse* se renouvelle et vous présente _____ l'actualité culturelle et internationale.

6. **APPELEZ-NOUS**
_____ JOUR À _____ HEURE.
NOUS SOMMES TOUJOURS OUVERTS.

9. Les grandes croisières Bateaux géants. Les Caraïbes à leur meilleur. _____ destinations offertes.

L'ADJECTIF QUALIFICATIF

La formation du féminin : règle générale

En général, on ajoute un **-e** à l'adjectif masculin pour former son féminin.

Adjectif masculin	Adjectif féminin	Exemple
-t	**-t**e	brillant ⟶ brillante
-d	**-d**e	grand ⟶ grande
-s	**-s**e	mauvais ⟶ mauvaise
-l	**-l**e	local ⟶ locale
-n	**-n**e	contemporain ⟶ contemporaine
-r	**-r**e	noir ⟶ noire
-i	**-i**e	joli ⟶ jolie
-é	**-é**e	isolé ⟶ isolée
-u	**-u**e	poilu ⟶ poilue

Les adjectifs invariables

Les adjectifs qui se terminent par un **-e** muet sont invariables au féminin.

Adjectif masculin	Adjectif féminin	Exemples
-e	-e	jeune ⟶ jeune pratique ⟶ pratique fiable ⟶ fiable drôle ⟶ drôle

Remarque

L'adjectif **chic** ne change pas non plus de forme au féminin.

Ex. : un dîner **chic** ⟶ une soirée chic

La formation du féminin : règles particulières

Adjectifs masculins	Adjectifs féminins	Exemples		Exceptions		
-et	**-et**te	coquet →	coquet**te**			
-en	**-en**ne	anci**en** →	anci**en**ne			
-on	**-on**ne	b**on** →	b**on**ne			
-as	**-as**se	b**as** →	b**as**se			
-os	**-os**se	gr**os** →	gr**os**se			
-el	**-el**le	actu**el** →	actu**el**le			
		parti**el** →	parti**el**le			
-et	-ète	compl**et** →	compl**è**te			
		discr**et** →	discr**è**te			
-c	-que	publi**c** →	publi**que**	gre**c** →	gre**cque**	
		tur**c** →	tur**que**	blan**c** →	blan**che**	
				se**c** →	sè**che**, etc.	
-f	-ve	veu**f** →	veu**ve**			
		sporti**f** →	sporti**ve**			
-x	-se	jalou**x** →	jalou**se**	fau**x** →	fau**sse**	
		heureu**x** →	heureu**se**	rou**x** →	rou**sse**	
				dou**x** →	dou**ce**	
				vieu**x** →	vi**eille**	
-er	-ère	lég**er** →	lég**è**re			
		aventuri**er** →	aventuri**è**re			
-eur	-eure	antéri**eur** →	antéri**eu**re			
-teur	-trice	révéla**teur** →	révéla**trice**			
	-teuse	men**teur** →	men**teuse**			

Les cas particuliers

Singulier	Masculin	**vieux**	Ex. : un vieux manteau
	Féminin	**vieille**	Ex. : la vieille porte
Pluriel	Masculin	**vieux**	Ex. : des vieux manteaux
	Féminin	**vieilles**	Ex. : les vieilles portes

Remarque

Devant un nom masculin singulier qui commence par une voyelle, **vieux** devient **vieil**.

Ex. : un vieil ami

Singulier	Masculin	**nouveau**	Ex. : un nouveau pantalon
	Féminin	**nouvelle**	Ex. : la nouvelle voiture
Pluriel	Masculin	**nouveaux**	Ex. : des nouveaux pantalons
	Féminin	**nouvelles**	Ex. : les nouvelles voitures

Remarque

Devant un nom masculin singulier qui commence par une voyelle, **nouveau** devient **nouvel**.

Ex. : un nouvel emploi

Singulier	Masculin	**beau**	Ex. : un beau dessin
	Féminin	**belle**	Ex. : la belle maison
Pluriel	Masculin	**beaux**	Ex. : des beaux dessins
	Féminin	**belles**	Ex. : les belles maisons

Remarque

Devant un nom masculin singulier qui commence par une voyelle, **beau** devient **bel**.

Ex. : un bel été

La formation du féminin : autres cas particuliers

Règle	Adjectifs masculins	Adjectifs féminins
On ajoute une lettre et un -e.	long / favori	longue / favorite
L'adjectif change de forme.	**fou** / m**ou** / frais	folle / molle / fraîche

La place de l'adjectif

- En général, l'adjectif se place après le nom.

  Ex. : des paysages magnifiques, des vues paradisiaques

- Quelques adjectifs courts se placent devant le nom. Voici les plus courants : **petit**, **grand**, **gros**, **bon**, **beau**, **nouveau**, **jeune**, **vieux**, **haut**, **mauvais**, **autre** et **vaste**.

  Ex. : un jeune homme, une petite maison, une autre chance

- Les adjectifs numéraux cardinaux — comme **un**, **deux**, **trois**, **quatre**, **cinq**, etc. — se placent toujours devant le nom.

  Ex. : les trois petits cochons, les cinq derniers jours

- On peut changer la place de certains adjectifs dans les tournures emphatiques afin d'insister sur cet adjectif.

  Ex. : une maison **magnifique** ⟶ une magnifique maison

⊂▭ À vous de jouer

1. L'accord en genre et les adjectifs invariables

Une description plus précise

Comme dans l'exemple, associez trois adjectifs de l'encadré à chacun des noms. N'oubliez pas de les accorder en genre et en nombre. Vous pouvez utiliser le même adjectif plusieurs fois.

> gagnant – frais – naturel – long – chaud – luxueux – confortable – rapide
> portable – mauvais – intelligent – garanti – court – cher – chic
> ensoleillé – spacieux – propre – performant – potable – fiable – drôle – émouvant
> amusant – chaleureux – neuf – central – décontracté – paisible – sportif – lent

Exemple l'équipe gagnante, performante, sportive

1. de l'eau _____

2. un manteau _____

3. une chambre _____

4. un ordinateur _____

5. un téléphone cellulaire _____

6. un hôtel _____

7. un restaurant _____

8. une voiture _____

9. un film _____

10. une ambiance _____

2. L'accord en genre et les adjectifs invariables

As-tu aimé ta sortie ?

Choisissez les adjectifs appropriés, puis complétez les phrases. Accordez les adjectifs en genre et en nombre. Aidez-vous de l'exemple. Vous pouvez utiliser le même adjectif deux fois.

> premier – délicieux – célèbre – grandiose – spectaculaire – climatisé
> excellent – simple – terrible – réussi – heureux – mauvais – raté – médiocre – nul
> plaisant – chic – sobre – inoubliable – nerveux – ému – calme – enchanteur
> original – beau – petit – bon – dernier

1. — Et puis, Aida, c'était bien ?
   — Ah oui, c'était très bon. Les décors étaient vraiment _____ .

— Qui tenait le _____ rôle?

— Lucie Desroches, la _____ soprano.

— Oui, je la connais. Elle est _____ .

— Le _____ tableau est vraiment _____ . Plus de cent personnes sur scène. Une fin toute en beauté.

2. — Alors le concert au Centre Bell?

— _____ . Complètement _____ . Le son était tellement _____ qu'on entendait seulement les graves et pas du tout les paroles. En plus, la salle était mal _____ et nous avons eu froid toute la soirée. La performance de Freddy a été plutôt _____ . Il n'a pas chanté comme d'habitude. Ce n'était pas _____ ni _____ . Bref, une soirée plutôt _____ .

— Dommage!

3. — Es-tu allé au mariage de Francine et Juan?

— Ça, c'était toute une soirée. Les mariés étaient tellement _____! Et la fête, quelque chose d' _____ . Premièrement, lors de la cérémonie à l'église, tout le monde était _____ . On voyait que Francine était _____ , mais Juan avait l'air plutôt _____ . Quelques personnes pleuraient. La robe de Francine était très _____ , _____ et _____ , mais _____ en même temps.

— C'était où la fête?

— Dans un site _____ , sur le bord du fleuve. Il y avait au moins trois cents invités. Puis, un orchestre qui a joué toute la soirée.

— Et la bouffe?

— _____ . En fait, les mariés avaient pensé à tous les _____ détails. Une fête vraiment _____ .

3. Les adjectifs de nationalité

Lieu d'origine

Complétez les phrases à l'aide des adjectifs formés à partir des noms de lieux entre parenthèses. Accordez ces adjectifs en genre et en nombre, comme dans l'exemple.

> **Exemple**   Les aéroports canadiens (du Canada) resserrent les mesures de sécurité.

1. Goûtez à la cuisine _____ (des Antilles) !

2. Découvrez le charme des villes _____ (du Maroc).

3. Le chorégraphe _____ (de Montréal) nous présente un spectacle unique en son genre.

4. Les salles _____ (de Toronto) offrent une programmation originale et variée.

5. La rentrée culturelle _____ (de Paris) ne laissera personne indifférent.

6. Savourez les vins rouges _____ (de l'Australie) aux arômes riches et raffinés.

7. Les destinations _____ (de l'Europe) sont toujours très populaires chez les voyageurs.

8. Danses _____ (de l'Inde) classiques et contemporaines à la maison de la culture de Rouyn-Noranda.

9. Une cuisine _____ (de la Chine) haute en couleur a séduit le public du 3ᵉ Salon gastronomique de l'Estrie.

4. Les adjectifs *beau*, *nouveau*, *vieux* et *neuf*

Visite du nouveau complexe de condos

Complétez les phrases à l'aide des adjectifs qualificatifs de l'encadré. Accordez-les en genre et en nombre, comme dans l'exemple.

> beau – nouveau – vieux – neuf – grand – petit

Bon, vous êtes prêts pour la visite ? Ce nouveau projet de condos est tout à fait unique en son genre. Un édifice de vingt étages construit au cœur du _____-Montréal industriel. L'ancien site du centre de tri de Postes Canada.

Toutes les unités ont de _____ fenêtres qui donnent sur le canal. Certaines offrent aussi des terrasses ou des balcons assez _____ .

Le quartier va être remis à _____ . De _____ boutiques, de _____ parcs, de _____ promenades, de _____ bistros, et même une patinoire à proximité du _____-Montréal et des _____ _____ rues animées.

Les condos sont construits dans la _____ raffinerie Darling, entièrement rénovée.

Nous conservons le cachet des lieux, mais les installations sont _____ .

Il y a deux _____ _____ piscines sur le toit. Le solarium est _____ . On peut admirer le _____ quartier industriel Pointe-Saint-Charles et le pont Victoria.

Commentaires des acheteurs

1. Quelle _____ vue! Et regarde le _____ espace que j'ai dans mon salon! C'est magnifique.

2. Nous aimerions avoir des informations sur les _____ unités qui seront prêtes bientôt.

3. C'est un _____ quartier refait à _____ .

4. J'adore mon _____ condo.

5. Les jardins sont _____ et magnifiques.

6. Le _____ quartier s'appelle Bonaventure.

7. Les acheteurs sont pour la plupart de _____ acheteurs, jeunes, en grande majorité.

8. Les _____ usines recyclées en condos de luxe ont un charme particulier.

9. Les architectes ont choisi de garder la _____ façade, mais les portes sont toutes _____ et les fenêtres aussi.

10. Les ponts qui relient l'esplanade au plan d'eau ont l'air _____ , mais en fait ils sont tous les deux tout _____ .

5. L'accord en genre et les adjectifs invariables

Notre nouvelle maison

Complétez la lettre à l'aide des adjectifs de l'encadré. Accordez-les en genre et en nombre. Vous pouvez utiliser le même adjectif deux fois. Suivez l'exemple.

> nouveau – grand – supérieur – petit – intime – immense
> naturel – heureux – vieux – beau

Chère Brigitte,

Je viens de m'installer dans ma nouvelle maison, un _____ _____ loft situé dans une _____ usine recyclée. J'ai un _____ espace de travail en bas et une belle lumière baigne le grand salon. C'est à cet endroit que j'ai installé mon chevalet et mes toiles. Je vais pouvoir peindre à la lumière _____ , car les fenêtres sont _____ . Un escalier permet d'accéder à l'étage _____ , en mezzanine où se trouvent ma chambre et une _____ alcôve _____ pour mes moments de lecture et de détente. J'ai un autre espace dans la mezzanine où prennent place le piano et un lit pour les invités. Je suis très _____ de mon _____ environnement. Je pends la crémaillère entre amis le 21 septembre. Si tu ne peux pas venir, je te ferai parvenir les photos par Facebook.

Amitiés,
Céline

BRIGITTE FORÊT
122, DU PARC
MONTRÉAL (QUÉBEC)
H1P 3W3
CANADA

6. Les adjectifs qualificatifs : les cas particuliers

Exercice

Complétez les phrases avec les adjectifs qualificatifs appropriés, puis accordez-les en genre et en nombre, comme dans l'exemple.

> gentil – doux – mou – frais – favori – grec – faux – long – jaloux
> bas – blanc – sec – public – chic

Exemple — Tu connais Guillemine ?

— Oui, elle est vraiment chic et très gentille. Tout le monde l'aime.

1. À la radio

   Pour une peau _____ et délicate, essayez les nouvelles crèmes hydratantes biologiques de Parfums des champs.

2. Chez le marchand de crème glacée

   — Qu'est-ce que tu prends ?

   — Un cornet de crème glacée _____ à la vanille, ma _____ , et toi ?

   — Un yogourt glacé aux framboises.

3. Pendant un congrès sur les composantes informatiques

   — Es-tu bien réveillé ? On commence à travailler dans une demi-heure ?

   — Je suis tout à fait réveillé, _____ et dispos.

4. Chez le coiffeur

   — Une semaine au bord de la mer et mes cheveux sont abîmés. Quoi faire ?

   — Je vous suggère ce shampooing. Il est nouveau sur le marché, il est très très _____ , l'idéal pour des cheveux abîmés.

5. Le secret du gâteau

   — J'aime bien ton gâteau au fromage. Quel est ton secret ?

   — Je mets un pot de crème _____ à la place du lait. Ça fait toute la différence.

   — Je vais l'essayer.

6. Au restaurant grec

   — Qu'aimerais-tu prendre comme entrée ?

   — Une bonne salade _____ ferait bien mon affaire. Ici, en plus, elle est excellente.

7. Le concert

— Alors, tu ne vas pas au concert de Frida ?

— Non, je déteste les _____ files d'attente.
Et pour ces concerts, c'est toujours la même chose,
des queues interminables.

8. Bertrand

Bertrand a passé une nuit _____ hier :
il voulait finir son travail et il n'a pas dormi du tout.

9. Alerte d'incendie

— Il paraît qu'il y a eu une alerte d'incendie, la nuit passée dans
votre immeuble ?

— Oui, c'était une _____ alerte, mais nous avons dû
passer une heure dans la rue avant que les pompiers arrivent.

10. Petite enfance

Les recherches montrent qu'il est important pour les enfants en _____
âge de passer beaucoup de temps avec leur mère.

11. Une longue promenade

— Attends, ça fait deux heures qu'on marche, je n'en peux plus.
J'ai la bouche _____ , j'ai soif, je vais boire un peu d'eau.

— D'accord, faisons une pause de quinze minutes.

— Au fait, je viens d'acheter une petite table _____
pour mon salon, un vrai petit bijou.

12. Inscription à l'université

— Ma fille vient de s'inscrire à l'université.

— En quoi ?

— En relations _____ .

13. À propos d'un divorce

— Marie-Ève et Jean-Luc ne sont plus ensemble ?

— Non, ils viennent de divorcer. Il paraît que Jean-Luc était très _____ .

— Et Marie-Ève ?

— Elle n'était pas _____ du tout.

14. Partir à l'aventure

— Tu sais qu'Anne-Laure veut partir faire le tour du monde ?

— Je ne savais pas. C'est un projet un peu _____ , non ?

— Oui, un peu, mais Anne-Laure, c'est une aventurière.

7. La place de l'adjectif qualificatif

Exercice

Encerclez l'adjectif qui est bien placé, selon vous. Inspirez-vous de l'exemple.

Exemple   un (**bon**) repas **bon** bien arrosé

1. une **fraîche** salade **fraîche**

2. un **tranquille** dimanche **tranquille**

3. une **belle** robe **belle**

4. un **joli** quartier **joli**

5. une **romantique** rencontre **romantique**

6. une **grande** entreprise **grande**

7. un **direct** vol **direct**

8. un **sympathique** ami **sympathique**

9. un **long** voyage **long**

10. la **première** marche **première**

11. un **anglais** thé **anglais**

8. Le participe passé employé comme adjectif

Exercice

Complétez les phrases à l'aide des participes passés des verbes entre parenthèses. Ces participes passés sont employés comme adjectifs. Aidez-vous de l'exemple.

Exemple   Une nouvelle édition du célèbre roman de Marcel Proust, *À la recherche du temps (perdre) perdu*, est déjà en librairie.

1. Les villes les plus (connaître) _____ en Amérique du Nord sont Vancouver, Toronto, Montréal et New York.

2. Les concerts (prévoir) _____ au programme devront être annulés en cas de pluie.

3. Mon copain Antoine vient d'acheter une maison totalement (rénover) _____ .

4. La version (revoir) _____ et (améliorer) _____ du logiciel
Antidote est déjà en vente.

5. Les automobilistes ne peuvent pas circuler sur les voies (réserver) _____
entre 15 h et 18 h.

6. Animaux (interdire) _____ en avion : nouvelle réglementation.

7. Les services (offrir) _____ comprennent un déplacement en limousine
et des photos publicitaires.

8. Les sommes (avancer) _____ ne couvrent pas les frais de restauration.

9. Les candidats (élire) _____ recevront une confirmation par la poste.

10. Les immigrants (recevoir) _____ bénéficient des mêmes avantages que
les citoyens canadiens.

3 LE NOM

Rappel grammatical

■ **Le pluriel des noms : règle générale**

En général, le pluriel des noms se forme en ajoutant un **-s** au nom.

Ex. : un matin ⟶ des matins, la photographe ⟶ les photographes

■ **Le pluriel des noms : les cas particuliers**

Les noms qui se terminent par un **-s**, un **-x** ou un **-z** sont invariables au pluriel.

Noms singuliers	Noms pluriels	Exemples	Exceptions
-s **-x** **-z**	-s -x -z	bois ⟶ bois prix ⟶ prix gaz ⟶ gaz	
-au **-eau** **-eu**	On ajoute un -x.	tuyau ⟶ tuyaux gâteau ⟶ gâteaux feu ⟶ feux	pneu ⟶ pneus, etc.
-al	-aux	journal ⟶ journaux	bal ⟶ bals carnaval ⟶ carnavals chacal ⟶ chacals festival ⟶ festivals
-ail	On ajoute un -s.	chandail ⟶ chandails	travail ⟶ travaux corail ⟶ coraux bail ⟶ baux, etc.
-ou	On ajoute un -s.	fou ⟶ fous	bijou ⟶ bijoux caillou ⟶ cailloux chou ⟶ choux genou ⟶ genoux hibou ⟶ hiboux joujou ⟶ joujoux pou ⟶ poux

La pluriel des noms : autres cas particuliers

Règle	Nom singulier	Nom pluriel
Le nom change de forme.	œil	yeux

Le féminin des noms de professions

On forme le féminin des noms de professions en suivant les mêmes règles que pour former le féminin des adjectifs qualificatifs.

Nom masculin	Nom féminin	Exemples
-t	-te	avocat ⟶ avocate
-ier	-ière	couturier ⟶ couturière
-ien	-ienne	gardien ⟶ gardienne
-teur	-trice	traducteur ⟶ traductrice
-eur	-euse -eure	vendeur ⟶ vendeuse auteur ⟶ auteure

Quelques noms de professions invariables

Nom masculin	Nom féminin
un médecin	une médecin
un journaliste	une journaliste
un fonctionnaire	une fonctionnaire
un pianiste	une pianiste
un chef	une chef
un ministre	une ministre
un peintre	une peintre
un juge	une juge

 À vous de jouer

1. Les noms des professions : le masculin et le féminin

Qui êtes-vous ?

Choisissez les noms appropriés aux contextes des dialogues pour compléter les phrases. Vous devez accorder ces noms en genre, comme dans l'exemple.

> avocat – journaliste – pianiste concertiste – chirurgien – chef
> médecin – professeur – danseur – comédien – dessinateur – couturier
> écrivain – chanteur – traiteur – entraîneur – fonctionnaire – étudiant
> ingénieur – auteur – musicien – technicien

Exemple — Tu connais Augustine Grenon ? Elle est avocate en droit de la famille et son mari est un célèbre musicien, un pianiste concertiste.

1. — Je te présente Nathalie Filion, _____ de romans pour la jeunesse.
   — Enchantée.

2. — Hugo Laflamme, _____ chez Lavalin, il travaille sur un projet de train à grande vitesse en ce moment et voici sa femme, _____ à l'Hôpital général de Montréal.
   — Bonjour, ça me fait plaisir de faire votre connaissance. Je m'appelle Véronique Insel, _____ à l'Institut des langues.

3. — René Fling, _____ de tango et vous ?
   — Roxana, ma copine, _____ 3D et moi, _____ en informatique.
   — Bonjour.

4. — Bonsoir, je m'appelle Madeleine Arbie. Je travaille comme _____ chez Georges Labandera, nous faisons du prêt-à-porter.
   — Très intéressant, moi je suis _____ au journal *Le Sud*. Je connais les créations de Labandera.

5. — Votre nom et votre profession ?
   — Marguerite Lachance, _____ .
   — Quel genre ?
   — Pop. Et vous ?
   — Non, moi, je ne suis pas _____ . Je m'appelle Frédéric Gousse, je suis _____ , je travaille surtout pour les hôtels. Je m'occupe des commandes pour des évènements spéciaux.

6. — Je vous présente Micheline Rivière, _____ . Elle a joué dans une série qui est passée à la télé récemment.

— Ah oui, c'était très bon! Bonjour, Micheline. Moi, je m'appelle Léon Lapostolle et je travaille comme _____ dans un centre sportif.

7. — Christopher Bragdon, _____ généraliste, John O'Connor, _____ et Marilyn Rokash, _____ , elle aussi. Tous les deux font des romans.

— Bonjour, je me présente, mon nom est Tony de Micheli, je suis _____ d'entreprise. Je fabrique des pièces d'automobiles.

8. — Bonjour, votre nom?

— Rick Thomson. Je suis _____ au gouvernement provincial. Et vous?

— Sophie Lan, je suis encore _____ . Je termine ma deuxième année en sciences.

2. Le pluriel des noms

Exercice

Choisissez un nom dans l'encadré pour compléter correctement les phrases. Accordez les noms en nombre, comme dans l'exemple.

> œil – journal – festival – temps – bijou – cheval
> travail – tableau – pneu – récital – prix

Exemple Ferme les yeux, j'ai une surprise pour toi.

1. Où sont les _____ de la semaine passée? Je cherche un article dans la section Habitation.

2. Les _____ ont bien changé. Tout a changé.

3. Sais-tu quel jour aura lieu la remise des _____ de la haute couture?

4. Cette année, je dois changer mes quatre _____ . Ils sont trop usés.

5. Il paraît que les _____ de cette année ont tous une programmation d'enfer! Il y aura beaucoup de _____ intéressants.

6. Ma copine Chantal a deux _____ dans une écurie non loin de Saint-Hyacinthe. On ira les voir.

7. Hier, j'ai vu les _____ de Florence. Ils sont très beaux. Surtout le bracelet en or.

8. Je ne sais pas comment faire des _____ avec le nouveau programme Word.

9. As-tu déjà signé les contrats pour les _____ de rénovation dans la maison?

3. La nominalisation

Exercice

Trouvez les noms qui correspondent aux verbes indiqués en gras, puis complétez la colonne de gauche, comme dans l'exemple. Aidez-vous du dictionnaire, au besoin.

Exemple	une sortie de secours	sortir	
1. l'_____ des marchandises		**entrer**	
2. les _____ internationales		**arriver**	
3. un _____		**partir**	
4. la _____ temporaire du tunnel Viger		**fermer**	
5. le _____ à l'étalage		**voler**	
6. un _____ interdit		**passer**	
7. une _____		**annuler**	
8. un _____		**déménager**	
9. un centre de _____		**rechercher**	
10. l'_____		**s'entraîner**	
11. un _____ postal		**envoyer**	
12. une _____		**plaindre**	
13. la _____ d'équipement		**louer**	
14. une _____ interdite		**descendre**	
15. l'_____-cadeau		**emballer**	
16. un _____ comptant seulement		**payer**	
17. un _____		**renseigner**	
18. le service des _____		**prêter**	
19. les bourses d'_____		**étudier**	

4. LES PRONOMS

A. LES PRONOMS PERSONNELS

Tableau récapitulatif

Personne et nombre	Complément direct	Complément indirect
1re pers. sing.	me / m' / moi	me / m' / moi
2e pers. sing.	te / t' / toi	te / t' / toi
3e pers. sing.	le / la / l' / en	lui
1re pers. plur.	nous	nous
2e pers. plur.	vous	vous
3e pers. plur.	les	leur

Les pronoms le, la, l' et les

Les pronoms **le, la, l'** et **les** remplacent le CD introduit par	Exemples
un déterminant défini (*le*, *la*, *les*)	Je prends **le métro** le matin. —> Je le prends le matin. —> Je ne le prends pas le matin.
un déterminant possessif (*mon*, *ton*, *son*, etc.)	Il a **mon adresse**. —> Il l'a. Il ne l'a pas.
un déterminant démonstratif (*ce*, *cet*, *cette*, *ces*)	Je veux **cette chemise**. —> Je la veux. Je ne la veux pas.

Les pronoms me, te, nous et vous

Les pronoms **me**, **te**, **nous** et **vous** remplacent le CD ou le CI.

Ex. : Marie me cherche. (me = CD —> chercher quelqu'un)
Marie me parle. (me = CI —> parler à quelqu'un)

Les pronoms lui et leur

Les pronoms **lui** (3e pers. sing.) et **leur** (3e pers. plur.) remplacent le CI.

Ex. : Luc téléphone **à Jean-Marc**. —> Il lui téléphone.
Jean-Marc ressemble **à ses frères**. —> Il leur ressemble.

Le pronom *en*

Le pronom **en** remplace le CD introduit par	Exemples
un déterminant indéfini (*un*, *une*, *des*)	Grégoire a **un vélo de course**. ⟶ Il en a un. Il n'en a pas.
un déterminant partitif (*du*, *de la*, *des*)	Marguerite boit du **thé à la menthe**. ⟶ Elle en boit. Elle n'en boit pas.
un déterminant quantifiant (*beaucoup de*, *un peu de*, *un kilo de*, etc.)	Nous avons **beaucoup d'amis**. ⟶ Nous en avons beaucoup. ⟶ Nous n'en avons pas beaucoup.

Remarque

- À la forme affirmative, on doit répéter les déterminants indéfinis **un** et **une** ainsi que les déterminants quantifiants après le verbe.

  Ex. : J'ai **un vélo**. ⟶ J'en ai un.

  Je prends **plusieurs billets**. ⟶ J'en prends plusieurs.

- Le quantifiant **quelques** est répété sous la forme **quelques-uns** et **quelques-unes** après le verbe.

  Ex. : J'emprunte **quelques** livres à la bibliothèque.

  ⟶ J'en emprunte quelques-uns à la bibliothèque.

Le pronom *y*

Le pronom **y** remplace le complément de phrase (CP) indiquant le lieu.

Ex. : Je vais **à Vancouver**. ⟶ J'y vais. Je n'y vais pas.

B. LES PRONOMS RELATIFS

Le pronom *qui*

Le pronom relatif **qui** remplace le sujet.

Ex. : Je parle parfois avec cette femme. **Cette femme** marche dans la rue.
(**cette femme** = sujet)
⟶ Je parle parfois avec cette femme qui marche dans la rue.

Le pronom *que*

Le pronom relatif **que** remplace le CD.

Ex. :   Je parle parfois avec cette femme. Je vois **cette femme** tous les matins.
(**cette femme** = CD)
⟶ Je parle parfois avec cette femme que je vois tous les matins.

Le pronom *où*

Le pronom relatif **où** peut remplacer :

• le complément de phrase (CP) indiquant le lieu ;

Ex. : Nous nous promenons à Winnipeg. Il fait très froid **à Winnipeg** en ce moment.
(**à Winnipeg** = complément de phrase indiquant le lieu).
⟶ Nous nous promenons à Winnipeg où il fait très froid en ce moment.

• le complément de phrase (CP) indiquant le temps.

Ex. : Au moment où elle est venue vers moi, elle ne pleurait pas.

Les expressions *ce qui* et *ce que*

L'expression **ce qui** remplace un sujet. Ce sujet peut parfois être une proposition.

Ex. : Je ne sais pas quelque chose. **Quelque chose** se passe.
⟶ Je ne sais pas ce qui se passe.

Il a plu pendant trois jours. Cela a gâché notre fin de semaine.
⟶ Il a plu pendant trois jours, ce qui a gâché notre fin de semaine.

Le pronom relatif **ce que** remplace un CD.

Ex. : Je sais quelque chose. Tu veux **quelque chose**. ⟶ Je sais ce que tu veux.

C. LES PRONOMS DÉMONSTRATIFS

Les pronoms démonstratifs peuvent être formés de :

• **celui, celle, ceux, celles** + **-ci** ou **-là** ;

Ex. : Donne-moi **les clés**. Celles-là, à côté du téléphone.

• **celui, celle, ceux, celles** + **qui** ou **que** ;

Ex. : Apporte **le cahier**. Celui que tu as acheté hier.

- **celui, celle, ceux, celles** + **de**.

  Ex. : Tu prends **le sac de** Clara ou celui de Griselda?

D. LES PRONOMS INTERROGATIFS

	Singulier	Pluriel	Exemples
Masculin	lequel	lesquels	Tu prends **l'autobus**? Lequel?
Féminin	laquelle	lesquelles	Parmi **ces photos**, lesquelles préfères-tu?

Remarque

Les pronoms **qui**, **que** et **quoi** sont aussi des pronoms interrogatifs. Mais, à la différence des pronoms du tableau ci-dessus, ils ne changent pas de forme selon ce qu'ils représentent.

Ex. : Qui a trouvé mon chapeau?
     Que fais-tu ici?

E. LES PRONOMS POSSESSIFS

Personne et nombre	Singulier		Pluriel	
	Masculin	Féminin	Masculin	Féminin
1re pers. sing.	le mien	la mienne	les miens	les miennes
2e pers. sing.	le tien	la tienne	les tiens	les tiennes
3e pers. sing.	le sien	la sienne	les siens	les siennes
1re pers. plur.	le nôtre	la nôtre	les nôtres	les nôtres
2e pers. plur.	le vôtre	la vôtre	les vôtres	les vôtres
3e pers. plur.	le leur	la leur	les leurs	les leurs

Ex. : — **Mon crayon** ne marche plus.
     — Prends le mien, il est tout neuf.

 **À vous de jouer**

A. LES PRONOMS PERSONNELS COMPLÉMENTS DIRECTS (CD) ET COMPLÉMENTS INDIRECTS (CI)

1. Les pronoms *le*, *la*, *l'* et *les* aux formes affirmative et négative

Le bal des finissants

Répondez aux questions suivantes à la forme affirmative et négative comme dans l'exemple.

> **Exemple** Vous faites les cartes d'invitation ? Oui, on les fait. / Non, on ne les fait pas.

1. Vous préparez la salle ? _____

2. Vous appelez le DJ ? _____

3. Vous prévenez les parents ? _____

4. Vous imprimez l'affiche ? _____

5. Vous achetez les fleurs ? _____

6. Vous invitez vos amis ? _____

7. Vous louez la salle ? _____

8. Vous laissez passer
   le personnel de l'école ? _____

9. Vous décorez les tables ? _____

2. Le pronom *en* aux formes affirmative et négative

Exercice

Répondez aux questions suivantes à la forme affirmative ou négative, comme dans l'exemple.

> **Exemple** Prenez-vous des vacances tous les ans ?
> Non, je n'en prends pas tous les ans.

1. Est-ce que vous buvez un verre de vin tous les soirs ?
   Oui, _____ .

2. Est-ce que vous achetez beaucoup de vêtements ?
   Non, _____ .

3. Avez-vous toujours des fleurs à la maison ?
   Non, _____ .

4. Avez-vous quelques économies en banque?
   Oui, _____ .

5. Avez-vous quelques suggestions de destinations à me proposer?
   Non, _____ .

6. Faites-vous du sport régulièrement?
   Oui, _____ .

7. Recevez-vous souvent des cadeaux?
   Non, _____ .

8. Mangez-vous de la viande rouge?
   Non, _____ .

9. Empruntez-vous souvent des livres à la bibliothèque?
   Oui, _____ .

3. Les pronoms *le*, *la*, *l'* et *les* ainsi que le pronom *en*

Exercice

Répondez aux questions de la colonne de gauche en remplaçant les CD par les pronoms *le*, *la*, *l'* et *les* ou par le pronom *en*, comme dans l'exemple.

Exemple	Faites-vous du camping?	Oui, j'en fais.
1. Achetez-vous le pain chez le boulanger?		_____
2. Repassez-vous vos vêtements?		_____
3. Gardez-vous les reçus de vos achats?		_____
4. Achetez-vous des magazines de mode?		_____
5. Prenez-vous un verre de vin à chaque repas?		_____
6. Réparez-vous vous-même votre ordinateur?		_____
7. Faites-vous du yoga?		_____
8. Suivez-vous les tendances de la mode?		_____
9. Regardez-vous des films en ligne?		_____
10. Consultez-vous les pages jaunes?		_____
11. Lisez-vous le journal en ligne?		_____
12. Avez-vous un vélo?		_____
13. Recevez-vous des courriels tous les jours?		_____
14. Mettez-vous l'eau dans le réfrigérateur?		_____

4. Les pronoms *le, la, l'* et *les* ainsi que les pronoms *lui* et *leur*

Exercice

Répondez aux questions à la forme affirmative ou négative en remplaçant la partie soulignée par les pronoms *le, la, l'* ou *les*, ou par les pronoms *lui* ou *leur*.

Exemple   Tu vas demander un délai supplémentaire <u>à ton directeur de programme</u>?

Oui, je vais lui demander un délai supplémentaire.

1. Vas-tu passer <u>ton permis de conduire</u> cette année?

Oui, _____ .

2. Tes enfants ressemblent beaucoup <u>à leurs grands-parents maternels</u>?

Oui, _____ .

3. Est-ce que quelqu'un va attendre <u>les visiteurs</u> à l'aéroport?

Un représentant de la compagnie _____ .

4. Avez-vous communiqué la décision <u>aux employés</u> du service à la clientèle?

Oui, nous _____ .

5. Tu aides <u>tes amis</u> à déménager?

Oui, _____ .

6. Allez-vous prêter votre voiture <u>à vos enfants</u>?

Non, je _____ .

7. Tu trouves <u>Nicolas</u> gentil?

Oui, _____ .

8. François et Vincent font souvent <u>l'épicerie</u> le dimanche?

Oui, _____ .

9. Tu vas apprendre le français <u>à ton voisin</u>?

Oui, _____ .

5. Les pronoms *le, la, l', les, lui, leur* et *en*

Un cadeau

Complétez les phrases à l'aide du pronom personnel complément approprié, comme dans l'exemple.

— Bonjour, je cherche un cadeau pour une jeune fille.

Quelque chose de très féminin.

— Est-ce qu'elle met du parfum?

— Oui, je crois qu'elle en met. Attendez, je vais téléphoner à son père pour _____ demander.

— J'ai cette eau de Garand. C'est frais, c'est un parfum idéal pour une jeune fille. Sentez-_____ .

— C'est vrai, je _____ aime bien. Je vais _____ prendre.

— Je _____ ai en 20 cl et en 50 cl.

— Je prends la plus petite bouteille. Ça ira. Auriez-vous une petite carte ?

— Oui, j'_____ ai quelques-unes ici. Regardez.

— Merci, je vais _____ écrire un mot pour son anniversaire.

— Le parfum, je vous _____ emballe ?

— Oui, s'il vous plaît, j'aimerais bien avoir un emballage-cadeau.

— Je _____ fais tout de suite.

6. Le pronom y aux formes affirmative et négative

Demandes de toutes sortes

Répondez aux questions en remplaçant la partie soulignée par le pronom y, comme dans l'exemple.

> **Exemple**   Ce soir, vous allez chez Mike ? Oui, j'y vais.

1. Vous allez au chalet. Est-ce que vos enfants **y** vont avec vous ?
   Non, _____ .

2. Êtes-vous à Vancouver en ce moment ?
   Oui, _____ .

3. Tu passes tes vacances à Cuba ?
   Oui, _____ .

4. Chaque année, tu retournes sur la Côte-Nord ?
   Non, _____ .

5. Tu restes encore une autre année à Madrid ?
   Oui, _____ .

6. C'est vrai que ton copain habite à Ottawa ?
   Non, _____ .

7. Hans et Roxane retournent au Maroc cette année ?
   Oui, il paraît _____ .

8. On va <u>au parc</u> faire un pique-nique?
   Bonne idée, _____ .

9. Nous allons <u>au cinéma</u>, vous **y** allez aussi?
   Non, _____ .

7. Les pronoms *me, m', te, t', nous* et *vous*

Exercice

Complétez les phrases à l'aide du pronom complément approprié, comme dans l'exemple.

Exemple   Pourriez-vous **me** renseigner?

1. Je suis désolée, madame, je ne peux pas _____ aider.

2. Peux-tu _____ passer le journal?

3. Monsieur, je peux _____ prendre cette chaise?

4. Je vais _____ indiquer le chemin pour venir chez moi. Tu verras, ce n'est pas compliqué.

5. Pourriez-vous _____ aider à porter les bagages?

6. Veux-tu _____ donner ton numéro de téléphone?

7. Je vais _____ envoyer les billets par courriel.

8. Pourrais-tu _____ prêter tes notes de cours?

9. Pourrais-tu _____ dire si la pharmacie est ouverte le 24 juin?

10. Bonjour, mon mari et moi avons retenu une chambre dans votre hôtel. Auriez-vous
    la gentillesse de _____ envoyer une confirmation de la réservation par courriel?

11. Je vais _____ expliquer comment faire fonctionner cette laveuse. Regarde!

12. On _____ promet que tu auras l'argent pour ton voyage si tu obtiens ton diplôme.

13. Maman, peux-tu _____ passer 20$? Marilyn et moi allons au cinéma ce soir.

14. Nous organisons une fête en l'honneur de notre fille qui vient de recevoir son diplôme d'études
    universitaires et nous aimerions _____ inviter à être des nôtres, vous et votre famille.

8. Les pronoms *le, la, lui, me* et *en*

Un mauvais voisin

Complétez le texte à l'aide des pronoms personnels compléments appropriés, comme dans l'exemple.

J'habite dans cet immeuble depuis trois mois.
J'ai un problème avec mon voisin du 3ᵉ étage. Il laisse la radio allumée
pendant la nuit, et ça me dérange. Je ne sais pas si je devrais _____ parler de
cette situation ou plutôt envoyer une lettre au propriétaire. J'ai parlé avec un autre voisin,
je _____ ai raconté ce qui se passait, et il _____ a avoué que la musique _____ dérangeait
aussi. Il propose que l'on parle au propriétaire, mais c'est un homme tellement occupé !
J'ai essayé plusieurs fois de _____ téléphoner, mais c'est impossible de le joindre. Il n'est
jamais là et je suis obligé de laisser des messages sur son répondeur. J' _____ ai laissé
trois le mois dernier et il ne _____ a jamais rappelé. Alors, je devrais _____ envoyer une
lettre. C'est compliqué. De toute manière, il ne serait pas impossible que nous déménagions.
Ma femme a reçu un appel d'un employeur de Trois-Rivières qui aimerait _____
rencontrer cette semaine et _____ faire une offre. Si elle obtient le poste,
nous aurons peut-être aussi une maison à nous !

B. LES PRONOMS RELATIFS

1. Le pronoms relatifs *qui, que* et *où*

Exercice

Complétez les phrases à l'aide des pronoms relatifs appropriés, comme dans l'exemple.

Exemple Voici le nouvel appareil photo que Nikon met sur le marché ces jours-ci et qui vous permettra de prendre des photos en haute résolution. Un outil indispensable que vous devez absolument avoir si vous partez en vacances.

1. Au moment _____ le suspect a fait irruption dans la salle, il y avait quatre étudiants _____ préparaient un projet en sciences _____ leur professeur leur avait confié avant de partir.

2. J'irai voir le film _____ Manon a vu hier. Il paraît que les paysages sont fabuleux. En plus, j'aime les acteurs _____ jouent dans ce film et _____ j'ai déjà vus dans de nombreuses autres productions.

3. Cette année, passez des vacances de rêve en visitant des endroits magiques _____ vous enchanteront et _____ vous n'oublierez jamais.

4. En achetant le produit _____ nous vous proposons, vous recevrez un rabais _____ vous sera envoyé par la poste, durant la semaine _____ vous ferez votre achat.

2. Les pronoms relatifs *qui*, *que* et *où*

Exercice

Complétez les phrases à l'aide des pronoms relatifs appropriés, comme dans l'exemple.

Exemple La Grèce est un pays *que* je voudrais visiter. Les sites archéologiques *qu'*on peut visiter et les musées *où* on peut rester des heures, c'est l'idéal pour une personne curieuse comme moi.

1. Au moment _____ l'alarme a sonné, nous étions au 3e étage. Nous sommes vite descendus dans la rue et nous avons vu la fumée _____ sortait d'une fenêtre du 6e étage.

2. Martin veut me faire visiter la maison _____ il passait ses vacances d'été. Il paraît qu'elle se trouve à un endroit _____ il n'y a presque pas de voitures. C'est un endroit _____ j'ai vraiment envie de découvrir avec lui.

3. Le jour _____ nous nous sommes rencontrés, il pleuvait beaucoup. Mario avait un parapluie _____ il venait d'acheter et il m'a proposé de le partager. Nous attendions un autobus _____ passait toutes les demi-heures et nous avons parlé tout ce temps.

3. Les pronoms relatifs *qui*, *que* et *où*

Synopsis

Complétez les phrases à l'aide des pronoms relatifs appropriés, comme dans l'exemple.

Exemple Anna est une jeune fille timide *qui* passe ses journées à lire des romans. Un jour, alors qu'elle termine un livre *que* sa grand-mère lui a offert pour sa fête, elle entend à la fenêtre un bruit *qui* changera toute sa vie…

1. Afin de retrouver une vie normale après ses années de prison, Nico est prêt à abandonner la carrière de voleur de banque _____ il mène depuis sa jeunesse. À sa sortie de prison, il se retrouve dans le quartier _____ tout a commencé. Réussira-t-il à résister aux tentations _____ se présentent à lui?

2. Voici un film _____ horreur et comique forment un curieux mélange _____ vous séduira et vous fera rire. Un film _____ vous n'oublierez pas.

3. Antoine Desroches, artiste peintre, vit à Berlin _____ il mène une existence paisible. Un jour, il trouve une note sur la porte de l'atelier _____ il partage avec son ami et collègue, Guillaume Tallis. Le monde est plein de surprises.

4. Les pronoms relatifs *ce qui*, *ce que* et *ce qu'*

Exercice

Complétez les phrases à l'aide des pronoms relatifs *ce qui*, *ce que* ou *ce qu'*, comme dans l'exemple.

Exemple   Je ne sais pas **ce que** je devrais commander.

1. _____ nous dérange parfois dans cet appartement, c'est le bruit.

2. Nous n'avons pas peur de _____ le directeur nous annoncera demain.

3. Elle a pris tout _____ elle a fait : ses dessins, ses sculptures, ses tableaux.

4. _____ vous pouvez faire, c'est appeler la compagnie d'autobus et demander si vous pouvez modifier votre billet.

5. La peinture, c'est _____ intéresse ma copine Gisèle.

6. _____ les touristes aiment le plus au Canada, c'est la nature.

7. On ne sait pas encore _____ on va offrir à Tatiana pour sa fête.

8. Tu sais _____ me ferait vraiment plaisir ? Une boîte de chocolats.

9. _____ est bien avec cette voiture, c'est qu'elle ne consomme pas beaucoup d'essence.

5. Les pronoms interrogatifs et les pronoms démonstratifs

Exercice

Complétez les phrases à l'aide d'un pronom interrogatif ou démonstratif. Aidez-vous de l'exemple.

— Est-ce que je peux vous aider ?

— Nous aimerions avoir des informations sur les activités offertes cette session.

— Lesquelles ? Les activités culturelles ou sportives ?

— Culturelles.

— Ah, très bien. Voici notre dépliant.

— Pardon, _____ donne les cours de peinture sur soie ?

— Une artiste qui fait ce travail depuis longtemps. Les cours se donnent le jeudi soir
ou le samedi matin.

— _____ du jeudi s'adresse aux débutants, _____ du samedi,
aux intermédiaires.

— C'est _____ que je devrais prendre alors. On travaille avec _____
au juste ?

— Un pinceau, de la peinture, un morceau de tissu, un foulard, un chemisier.
La prof va vous expliquer.

— Offrez-vous des cours de danse ?

— Oui, tous _____ . Regardez la liste : hip hop, tango, salsa, merengue,
danses africaines…

— _____ tu aimerais, Jean-Philippe ?

— Je ne sais pas trop.

— Je suis sûre que tu aimeras _____ , regarde,
cours de tango.

— Pardon madame, _____ de ces deux
monitrices travaille avec les jeunes enfants ?

— C'est Nathalie.

L'ADVERBE

La formation des adverbes : règle générale

Règle générale	Exemples
On ajoute la terminaison -ment à l'adjectif au féminin.	heureuse ⟶ heureusement fière ⟶ fièrement
On ajoute la terminaison -ment à l'adjectif au masculin terminé par **-e**, **-é**, **-i** ou **-u**.	facile ⟶ facilement obstiné ⟶ obstinément joli ⟶ joliment résolu ⟶ résolument

La formation des adverbes : les cas particuliers

Règle particulière	Exemples	Exceptions
On remplace la terminaison des adjectifs masculins en **-ant** par **-a**mment et celle des adjectifs masculins en **-ent** par **-e**mment.	courant ⟶ couramment récent ⟶ récemment	lent ⟶ lentement présent ⟶ présentement
Autre cas particulier	gentil	gentiment

Le sens de l'adverbe

Les adverbes peuvent exprimer	Exemples
le lieu	dehors, ici
la manière	lentement, gentiment
la négation	rien, personne, pas, nulle part
la quantité	assez, trop, beaucoup
le temps	après, demain

La place de l'adverbe

	Adverbes de qualité ou de quantité	Adverbes de lieu, de temps et adverbes en **-ment**
verbe à l'infinitif	adverbe + verbe à l'infinitif Ex. : Je vais bien **travailler**.	verbe à l'infinitif + adverbe Ex. : Je vais **travailler** dehors.
verbe conjugué à un temps simple	verbe conjugué + adverbe Ex. : Hector **va** bien.	verbe conjugué + adverbe Ex. : Régis **travaille** calmement.
verbe conjugué à un temps composé	auxiliaire + adverbe + participe passé Ex. : Il **a** tout **mangé**.	auxiliaire + participe passé + adverbe Ex. : Tu **as compris** rapidement.

 **À vous de jouer**

1. Les adverbes de négation

Minidialogues

Complétez les phrases à l'aide des adverbes de négation de l'encadré, comme dans l'exemple.

> personne – rien – jamais – pas encore – plus – nulle part – rien d'autre

Exemple — Avez-vous quelque chose à déclarer ?
— Non, je n'ai **rien** à déclarer.

1. — Quelqu'un vous accompagne ?
— Non, _____ ne m'accompagne. Je suis venu tout seul.

2. — Avez-vous encore quelques tomates du Québec ?
— Non, je n'en ai _____ . Mais j'ai d'autres légumes de saison.

3. — Sortez-vous le soir en semaine ?
— Non, je ne sors _____ le soir en semaine. Je me couche tôt.

4. — Avez-vous pris un numéro, madame ?
— _____ . Où sont les numéros ?

5. — Vous habitez toujours en Ontario ?
— Je n'habite _____ en Ontario. J'ai déménagé en Alberta.

6. — Ça fait deux heures que je cherche mes lunettes. Je ne les trouve _____ .
— Mais voyons maman, elles sont sur ta table de chevet !

7. — Tu peux venir me prendre ce soir à l'université ? Je termine tard, vers 22 h.
— Je ne sais _____ . Moi, je termine vers 21 h 30.

8. — Tu ne prends pas de café ?
— Non, merci. Je ne prends _____ de café le soir. Si j'en prends un, je ne peux _____ dormir après.

9. — Vous avez six croissants, deux pâtisseries au chocolat et un pain français. Quelque chose d'autre avec ça, madame ?
— Non, _____ . Ça ira comme ça. Merci beaucoup.

© 2012 Marcel Didier inc. - Reproduction interdite

L'ADVERBE

2. Les adverbes de sens contraire

Associez les adverbes de sens contraire comme dans l'exemple.

quelqu'un – quelque part – encore toujours – parfois – quelque chose toujours – trop – quelqu'un d'autre	plus – pas assez – personne d'autre rien – jamais – nulle part personne – souvent – plus

Exemple   quelqu'un / personne

1. _____ / _____

2. _____ / _____

3. _____ / _____

4. _____ / _____

5. _____ / _____

6. _____ / _____

7. _____ / _____

8. _____ / _____

3. Les adverbes en *-ment, -amment* et *-emment*

Trouvez l'adverbe correspondant à chacun des adjectifs ci-dessous.

Exemple   sérieux   sérieusement

1. poli _____

2. certain _____

3. patient _____

4. absolu _____

5. simple _____

6. délicat _____

7. parfait _____

8. tranquille _____

9. fréquent _____

4. Les adverbes en *-ment, -amment* et *-emment*

Exercice

Complétez les phrases à l'aide d'adverbes en *-amment* ou *-emment*. Aidez-vous des indices donnés entre parenthèses, comme dans l'exemple.

Exemple   Ils attendent (avec impatience) *impatiemment* l'arrivée du vol de Tokyo.

1. Je ne pourrai pas rester cet après-midi. Je n'ai pas (un temps suffisant) _____ de temps pour tout faire.

2. Je lui ai expliqué (avec gentillesse) _____ qu'elle devra revenir chercher ses résultats la semaine prochaine.

3. Nous avons fêté (en faisant beaucoup de bruit) _____ le départ à l'étranger de notre ami Ivan Lasnier.

4. Nous voulons aller faire un tour en librairie pour voir tous les titres parus (de manière récente) _____ .

5. Mes enfants parlent (de manière courante) _____ l'anglais et se débrouillent en espagnol.

6. Béatrice va beaucoup mieux. Sa jambe lui fait toujours mal, mais elle peut marcher (avec douceur) _____ .

7. Martin aime (beaucoup) _____ la musique baroque. Il a toute une collection de CD.

8. Il y a eu un accident au coin de chez moi, mais (par chance) _____ il n'y a pas eu de blessés.

9. Zoé a parlé (pendant longtemps) _____ avec sa voisine afin de trouver une solution au problème d'infiltrations d'eau dans leur logement.

L'ADVERBE

© 2012 Marcel Didier inc. - Reproduction interdite   53

5. Les adverbes *déjà, encore, pas encore* et *plus*

En camp de vacances

Complétez les phrases à l'aide des adverbes *déjà*, *encore*, *pas encore* et *plus*, comme dans l'exemple.

— As-tu mis de la lotion antimoustiques?

— Oui, c'est déjà fait.

— Et de la crème solaire?

— Je n'ai _____ mis de crème solaire. Elle est où?

— Vérifie si tu as ta lampe de poche.

— Oui, j'ai _____ rangé ma lampe

de poche dans la partie avant de mon sac à dos.

— Et le sac de couchage?

— Je l'ai _____ mis dans le sac.

— Le canif?

— Je ne l'ai pas _____ trouvé.

— Tiens, le voilà.

— Ton GPS a encore des piles?

— Je pense qu'il n'en a _____ .

— Je mets ça sur la liste des choses à acheter.

6. La place de l'adverbe

Exercice

Dans les textes suivants, insérez les adverbes proposés dans les encadrés pour modifier les verbes, les adjectifs et même les noms, comme dans l'exemple. Réécrivez les textes dans les espaces prévus.

Exemple

> bien – du tout – plutôt

Je n'aime pas cuisiner. Je ne me sens pas attirée par la cuisine. J'aime manger, mais la préparation des repas me laisse indifférente.

Je n'aime pas du tout cuisiner. Je ne me sens pas attirée par la cuisine. J'aime bien manger, mais la préparation des repas me laisse plutôt indifférente.

1.
> bien – donc – même – tout

Nous allons organiser le party de Noël du bureau. Béa a prévu. Elle a contacté un musicien. Nous aurons un groupe de musique.

_____

_____

_____

_____

2. générallement – à l'occasion – principalement

Je me nourris bien. Je suis végétarienne, mais je consomme du poulet.

_____

_____

_____

3. bien – sûrement – parfois – tout

Les joueurs ont joué. Ils ont donné. Les résultats sont décevants, mais ils vont se reprendre au prochain match.

_____

_____

_____

4. presque – parfaitement – nettement

L'Australienne Samantha Stosur était préparée pour son match contre l'Américaine Serena Williams. Elle a remporté la première manche, mais Williams a été meilleure tout le long du match.

_____

_____

_____

5.
> brutalement – plutôt – seulement

La pire performance de tous les temps. Le cycliste André Latour a été obligé d'abandonner la course à cause d'une blessure, mais il compte revenir l'an prochain. Latour a eu une année difficile avec une victoire à son actif.

_____

_____

_____

6.
> tellement – dehors – plus tard – à peine

Les enfants viennent de sortir. Ils sont allés jouer. Il fait beau aujourd'hui ! On préparera du chocolat chaud.

_____

_____

7. Les adverbes pour s'exclamer

Minidialogues croqués sur le vif

Complétez les phrases à l'aide des adverbes simples ou complexes proposés dans l'encadré. Suivez l'exemple.

> vraiment – franchement – absolument pas – éperdument
> pas vraiment – tout à fait – certainement – plutôt – pas du tout

1. Conversation téléphonique : des nouvelles de Peter

— Tu sais que Peter part en Chine le mois prochain ?

— Vraiment ? Non, je ne savais pas.

— Oui, il vient de décrocher un contrat très intéressant.

— Il s'est mis au chinois ?

— Non, _____ . Il dit qu'il va essayer d'apprendre sur place. Il est _____ courageux, laisse-moi te le dire.

— Bonne chance avec le chinois, c'est une langue très difficile à apprendre.

— _____ .

2. Dans un bureau d'architectes

— Je ne sais pas ce qui arrive à Gaston. Ça fait trois jours qu'il refuse de me montrer les plans du nouveau projet. Pourtant, je n'ai rien à voir avec ce projet. Je travaille sur autre chose en ce moment.

— _____ ! Moi non plus, je ne sais pas ce qui lui arrive. Il est étrange ces derniers jours. Tu vas lui parler ?

— _____ . Je vais plutôt attendre quelques jours.

3. Pendant la pause café

— Gilles organise une épluchette de blé d'Inde, mais toi, tu n'es pas invité et moi non plus.

— Moi, je m'en fiche _____ . De toute manière, j'ai autre chose à faire samedi. Toi, tu es vexé ?

— Nous ne sommes _____ très proches. Je trouve ça _____ normal.

— Tu as _____ raison. Bon, au travail !

8. Les adverbes combinés

Exercice

Complétez les phrases à l'aide des adverbes proposés dans l'encadré, comme dans l'exemple. Vous pouvez utiliser le même adverbe deux fois.

> dix fois plus – presque – nettement plus – mieux – rien d'autre – beaucoup plus – pas mal
> presque plus – plus encore – presque rien – personne d'autre – encore mieux – bien plus

Exemple Les voitures électriques sont dix fois plus écologiques que les voitures à essence.

1. Les chances de gagner un prix à ce concours sont _____ nulles. Il y a des milliers de participants.

2. Pour les curieux, la Chine est une destination _____ intéressante que les plages des Caraïbes. Il y a _____ de choses à voir et à apprendre.

3. Ce voyage ne dure qu'une petite fin de semaine. Alors, j'apporte très peu de choses : un pantalon, une chemise, un imperméable et _____ .

4. Sophie vient à Québec cette fin de semaine. Elle a déjà séjourné ici, mais elle ne connaît _____ . Ce sera l'occasion de lui faire visiter les sites intéressants.

5. Nous avons appelé tous les candidats qui étaient sur la liste. Mais nous avons encore des postes disponibles et il n'y a _____ pour les combler. Il faut passer une annonce.

6. Antony s'adapte très bien à sa nouvelle vie à Montréal. Il a déjà un emploi et _____ d'amis.

7. Nous vous offrons des prix très compétitifs, un service après-vente impeccable et _____ !

8. Cette année, la programmation de la Place des arts est _____ intéressante que celle de l'année dernière.

9. Bon, j'ai trouvé un appartement. Le propriétaire me propose de signer le bail demain ou lundi. Lundi, ça irait, mais demain ce serait _____ .

10. — Comment va Frédéric depuis son accident de vélo ?
— Il va _____ , heureusement. Il n'a _____ mal à la jambe, mais il suit encore des traitements de physiothérapie pour son bras.

6 LA COMPARAISON

La comparaison : les comparatifs formés avec l'adjectif, le nom ou le verbe

Type de comparaison	Avec l'adjectif	Avec le nom	Avec le verbe
–	moins + adjectif + que Ex. : Jérémie est moins **rapide** que Jean-Luc.	moins de + nom + que Ex. : Aujourd'hui, il y a moins de **nuages** qu'hier.	verbe + moins + que Ex. : À Vancouver, il **pleut** moins qu'à Londres.
=	aussi + adjectif + que Ex. : Jérémie est aussi **rapide** que Jean-Luc.	autant de + nom + que Ex. : Aujourd'hui, il y a autant de **nuages** qu'hier.	verbe + autant + que Ex. : À Vancouver, il **pleut** autant qu'à Londres.
+	plus + adjectif + que Ex. : Jérémie est plus **rapide** que Jean-Luc.	plus de + nom + que Ex. : Aujourd'hui, il y a plus de **nuages** qu'hier.	verbe + plus + que Ex. : À Vancouver, il **pleut** plus qu'à Londres.

La comparaison : autres comparatifs

Voici d'autres comparatifs courants :

- **le même, la même** ou **les mêmes** + **nom** ;

  Ex. : Carlos et Robert ont le même **âge** et ils travaillent dans la même **firme**.

- **tandis que** et **alors que**.

  Ex. : Délia prend ses photos avec un appareil numérique tandis que Nathalie utilise toujours son vieil appareil photo à pellicule.
  Nathalie aime se lever tôt le dimanche matin alors que Délia préfère rester au lit.

La comparaison : cas particuliers

Les adjectifs **bien** et **bon** changent de forme au comparatif de supériorité.

Adjectif	–	=	+
bien	moins bien + que Ex. : Paule travaille moins bien **que** Fanny.	aussi bien + que Ex. : Paule travaille aussi bien **que** Fanny.	mieux + que Ex. : Paule travaille mieux **que** Fanny.
bon	moins bon + que Ex. : Paule est moins bonne **que** Fanny.	aussi bon + que Ex. : Paule est aussi bonne **que** Fanny.	meilleur + que Ex. : Paule est meilleure **que** Fanny.

La comparaison : cas particuliers

	Superlatif d'infériorité	Superlatif de supériorité
Avec l'adjectif	le / la / les + nom + le / la / les moins + adjectif Ex. : C'est la **moto** la moins **rapide**.	le / la / les + nom + le / la / les plus + adjectif Ex. : C'est la **moto** la plus **rapide**.
Avec le nom	• le pire / la pire / les pires + nom Ex. : Voici le pire **livre** de la rentrée. • le moins bon / la moins bonne / les moins bons / les moins bonnes + nom Ex. : Voici les moins bonnes **performances** du jour.	le meilleur / la meilleure / les meilleurs / les meilleures + nom Ex. : Voici le meilleur **livre** de la rentrée.
Avec le verbe	• le / la / les moins + participe passé Ex. : C'est la voiture la moins **attendue** de l'année. • verbe + le moins Ex. : C'est la chanson que le public **aime** le moins.	• le / la / les plus + participe passé Ex. : C'est la voiture la plus **attendue** de l'année. • verbe + le plus Ex. : C'est la chanson que le public **aime** le plus.

⬭ À vous de jouer

1. Les comparatifs *moins, aussi, plus* + adjectif + *que*

Deux compagnies de téléphones mobiles

Lisez les deux annonces suivantes. Comparez ensuite les deux compagnies en complétant les phrases, comme dans l'exemple.

Exemple   Avec Kaki, on a autant de minutes en semaine qu'avec City.

1. Avec Kaki, _____

2. Avec Kaki, on peut envoyer _____

3. Avec Kaki, on a droit à _____

4. Si tu prends Kaki, _____

5. Kaki coûte _____

2. Les comparatifs formés d'un verbe + *moins, autant, plus* + *que*

Loïc et Cédric, des frères jumeaux

Comparez les jumeaux à l'aide des comparatifs appropriés, comme dans l'exemple.

Exemple   Loïc dormait 14 heures par jour, Cédric dormait entre 6 et 7 heures.
Loïc dormait plus que Cédric.

1. Loïc finissait son biberon assez rapidement. Cédric mettait du temps à finir son biberon.
Loïc _____ .

2. Cédric souriait à tout le monde. Loïc souriait seulement à sa maman et à son papa.
Cédric _____ .

LA COMPARAISON

3. Loïc pleurait à l'occasion. Cédric pleurait souvent.

Loïc _____ .

4. Loïc aimait s'amuser avec ses jouets. Cédric ne s'amusait pas beaucoup avec ses jouets.

Loïc _____ .

5. Cédric bougeait beaucoup. Loïc était plutôt tranquille.

Loïc _____ .

6. À un an, Cédric disait déjà quelques mots. Loïc aussi.

À un an, Cédric _____ .

3. Les comparatifs : *moins, aussi, plus* + adjectif + *que* ; *moins de, autant de, plus de* + nom + *que* ; *le même, la même, les mêmes* ; *tandis que, alors que* ; *meilleur, meilleure, meilleurs, meilleures*

Deux candidats

Lisez les profils des deux candidats au poste de vendeur d'automobiles, puis complétez les phrases à l'aide des comparatifs de l'encadré, comme dans l'exemple.

> moins / aussi / plus + adjectif + que – moins de / autant de / plus de + nom + que
> le même, la même, les mêmes – tandis que, alors que
> meilleur, meilleure, meilleurs, meilleures

Victor Fauré

EXPÉRIENCE ET FORMATION

10 années d'expérience comme vendeur de véhicules neufs

Ventes de la dernière année : 200 véhicules

Formations spécialisées : 4

QUALITÉS

Sympathique : +++
Sociable : +++
Sérieux : ++
Dynamique : +++

REMARQUES PARTICULIÈRES

Non disponible le vendredi soir
N'a pas de véhicule personnel

RÉMY LABONTÉ

EXPÉRIENCE ET FORMATION

15 années d'expérience comme vendeur de véhicules neufs

Ventes de la dernière année : 180 véhicules

Formations spécialisées : 4

QUALITÉS

Sympathique : ++
Sociable : ++
Sérieux : ++
Dynamique : ++

REMARQUES PARTICULIÈRES

Disponible en tout temps
A un véhicule personnel

— Bon, nous avons deux bons candidats pour le poste. Ils ont presque les mêmes compétences.

— C'est vrai. Monsieur Fauré est très expérimenté.

— Oui, mais monsieur Labonté a _____ années d'expérience _____ monsieur Fauré. Il faut voir ça.

— Tu as raison. Il a _____ années d'expérience _____ lui et il a _____ nombre de formations spécialisées.

— Oui, et monsieur Labonté est très bon, mais il a vendu _____ voitures _____ monsieur Fauré.

— La différence est de vingt véhicules seulement, ce n'est pas énorme. Il faut regarder les qualités humaines aussi. Monsieur Fauré est _____ sympathique _____ monsieur Labonté et il est _____ sociable _____ lui, deux qualités essentielles avec le public. Et il est _____ sérieux et _____ expérimenté _____ monsieur Fauré. Alors…

— Je suis d'accord, mais je crois que monsieur Fauré est _____ dynamique _____ monsieur Labonté. Ce sera très difficile de trouver un _____ candidat que lui.

— Ah non, moi, je crois que monsieur Labonté est un bien _____ candidat. Il a un véhicule personnel _____ monsieur Fauré n'en a pas et il est disponible _____ monsieur Fauré a un cours à l'université le vendredi soir.

— Je suis d'accord, même si monsieur Labonté est _____ sociable et _____ sympathique que monsieur Fauré, et même s'il a _____ d'années d'expérience que lui, c'est le _____ candidat.

— Oui, de toute manière, ce serait bien de conserver le CV de monsieur Fauré, au cas où.

— Entendu.

4. La comparaison et les pronoms démonstratifs

Exercice

Reformulez les phrases en utilisant la comparaison et les pronoms démonstratifs, comme dans l'exemple.

Exemple   Les enfants de Brigitte ont plusieurs amis. Les enfants de Béatrice ont peu d'amis.
Les enfants de Brigitte ont plus d'amis que ceux de Béatrice.

1. Les soldes d'été sont intéressants. Les soldes d'hiver sont encore plus intéressants.

_____

2. J'aime le parfum de Dior. J'aime beaucoup plus le parfum de Paloma.

_____

3. Je prends souvent la voiture de Grégoire. Je prends beaucoup plus souvent la voiture de Francis.

_____

4. L'autobus de 9 h est rapide. L'autobus de 8 h est encore plus rapide.

_____

5. Les fleurs de mon voisin poussent vite. Mes fleurs poussent encore plus vite.

_____

6. Le spectacle d'hier soir m'a plu. Le spectacle de la semaine passée m'a plu beaucoup plus.

_____

7. Les photos de Paul sont belles. Les photos de Tomas sont encore plus belles.

_____

8. J'aimais bien l'emploi que j'avais chez Unisoft. Mais j'aime mieux l'emploi que j'ai maintenant.

_____

9. Les téléphones cellulaires modernes sont chers. Avant, les téléphones cellulaires étaient moins chers.

_____

5. Les comparatifs : *moins, plus, de plus, un peu plus, beaucoup plus, beaucoup mieux, alors que* et *aussi*

Quel manteau choisir ?

Complétez les phrases à l'aide des comparatifs de l'encadré. Vous pouvez utiliser le même comparatif deux fois. Inspirez-vous de l'exemple.

> moins – un peu plus – de plus – **aussi** – beaucoup mieux
> alors que – beaucoup plus – plus – mieux

— Que penses-tu de ce manteau, maman ?

— Il est très joli.

— Et celui-ci ? Il est **aussi** bien que l'autre.

— Oui, mais il est _____ cher. Tu vois,

il est à 200 $ _____ l'autre est à 150.

— C'est une bonne différence. Mais essaie-les, pour voir.

— Oui, tu as raison…

— Ah, le brun te va très bien ! Et il a l'air chaud. Tu l'aimes ?

— Je ne sais pas trop.

— Essaie le noir.

— Ah, c'est vrai qu'il est _____

cher, mais il me va _____ !

— C'est vrai, c'est 50 $ _____ ,

et il est _____ long que le brun.

Pour l'hiver, c'est _____ .

— Oui, mais tu ne trouves pas qu'il est _____ …

je ne sais pas, _____ classique que l'autre ?

— Peut-être…

— Bon, je prends le brun, il me plaît _____ que le noir.

6. Le superlatif

Devinettes

Formulez les devinettes comme dans l'exemple, puis encerclez la bonne réponse.

Exemple (édifice/haut) **L'édifice le plus haut du monde :**
(la Burj Khalifa à Dubaï), la tour Eiffel à Paris, la tour du CN à Toronto

1. (bibliothèque/grande) _____ :
   la bibliothèque du Congrès à Washington, la bibliothèque de Paris, la bibliothèque du Vatican,
   la bibliothèque de Shanghai

2. (rue/longue) _____ :
   la rue Yonge à Toronto, la rue Sherbrooke à Montréal, la Via Appia à Rome

3. (lac d'eau douce/profond) _____ :
   le lac Titicaca, le lac Michigan, le lac Baïkal

4. (pays/grand) _____ :
   la Russie, le Brésil, le Canada

5. (hôtel/cher) _____ se trouve :
   à Las Vegas, à Dubaï, à Paris

6. (train/rapide) _____ est :
   chinois, français, japonais

7. (arbre/imposant) _____ se trouve :
   en Californie, dans l'Ouest canadien, dans la forêt amazonienne

8. (animal/dangereux pour l'homme) _____ :
   le lion, le moustique, l'ours noir

9. (oiseau/petit) _____ :
   le colibri-abeille, le rossignol, le canari

7. Les comparatifs : *mieux, meilleur, meilleure, meilleurs* et *meilleures*

Exercice

Complétez les phrases à l'aide du comparatif approprié, comme dans l'exemple.

Exemple   Gaël et Jonathan dansent tous les deux le tango, mais Jonathan danse
          mieux que Gaël.

1. J'ai changé d'emploi il y a un mois, maintenant j'ai un _____ salaire
   et de _____ conditions de travail.

2. Grâce aux cours de français en immersion que j'ai pris, je parle _____
   que l'année dernière.

3. Mon français est _____ que mon anglais.

4. Christian fait très bien la cuisine, mais c'est Claire qui fait les _____
   gâteaux.

5. Jean s'est cassé la jambe, mais il va beaucoup _____ qu'il y a un mois.

6. Karl a une _____ compréhension des mathématiques que Nicolas.

7. Tu sais où je peux trouver les _____ crèmes glacées en ville ?

8. J'aime _____ les films d'aventure que les documentaires.

9. Il vaut _____ réserver si on veut dîner au restaurant le soir de Noël.

8. Les comparatifs : *meilleur*, *meilleure*, *le plus*, *le moins* et *le pire*

Le Festival des films du monde

Complétez le texte à l'aide des comparatifs de l'encadré, comme dans l'exemple.
Vous pouvez utiliser le même comparatif ou le même superlatif deux fois.

> le plus – mieux – **meilleur** – meilleure – le moins – la moins – le pire

Cette année, le Festival des films du monde nous en a mis plein la vue. C'est le film *Dancing with Tom* qui a obtenu le prix du **meilleur** film. Le film que le public a _____ aimé est sans doute *Retour improbable*, une excellente réalisation qui a gagné le prix du _____ scénario. L'actrice Frida Acosta a remporté le prix de la _____ actrice pour son rôle dans *Je savais que c'était toi*. Le film _____ applaudi a sans doute été *Le retour de l'homme loup*. Plusieurs films étrangers étaient également au rendez-vous. Le film _____ attendu était sans doute *Kidnapping express*, une coproduction Espagne France.

La production _____ chère ? *La chambre noire*. Le film a été réalisé avec un budget de 1 500 $. Et _____ acteur de tout le Festival ? On ne vous le dira pas.

Une chose est certaine, la programmation de cette année nous prouve que ce festival est en _____ santé que les années précédentes.

7 LES PRÉPOSITIONS

La préposition à et ses formes contractées

La préposition **à** change de forme lorsqu'elle est suivie des déterminants **le** et **les**.

à + déterminant	Forme contractée	Exemples
à + le à + l'	au —	Je vais au cinéma. Le capitaine donne des ordres à l'équipage.
à + la à + l'	— —	Je passe à la banque. Je mange du canard à l'orange.
à + les	aux	Je parle aux élèves.

Le sens de la préposition à

Sens de la préposition **à**	Exemples
le lieu / la destination **à** + ville / **à** + certains noms de pays **au** + pays masculin **aux** + pays pluriel	J'habite à Trois-Rivières. Je suis à Cuba en ce moment. Je vais au Mexique. Carole habite maintenant aux États-Unis.
l'ingrédient principal d'un mets	Je prépare une tarte aux pommes.
l'utilité	Je cherche une cuillère à thé.
le prix	J'ai trouvé un billet à 10 $ pour le spectacle de ce soir.

Remarque

La préposition **à** est utilisée après certains verbes pour introduire un complément :
se mettre à, penser à, jouer à (un jeu), réussir à, aider à, etc.

Ex. : J'aide Martine à déménager.

La préposition de et ses formes contractées

La préposition **de** change de forme lorsqu'elle est suivie des déterminants **le** et **les**.

à + déterminant	Forme contractée	Exemples
de + le de + l'	du —	Je reviens du lac avec trois belles truites. Les hélices **de l'**avion sont bruyantes.
de + la de + l'	— —	Je m'éloigne **de la** rivière. Je parle **de l'**économie.
de + les	des	Je cherche les jouets des enfants.

Le sens de la préposition *de*

Sens de la préposition **de**	Exemples
la possession	Le chien de ma voisine est malade.
la provenance	J'arrive des Émirats arabes unis.
l'ingrédient principal	Je bois un jus d'orange.

Remarques

• La préposition **de** est utilisée à la suite des structures impersonnelles suivantes : **il est bon de**, **il est nécessaire de**, **il est dommage de**, etc.

Ex. : Il est bon de penser que le gouvernement changera ses politiques.

• La préposition **de** est utilisée après certains quantifiants comme : **un kilo de**, **un paquet de**, **un litre de**, **une tasse de**, **une boîte de**, etc.

Ex. : As-tu acheté une boîte d'allumettes ?

• La préposition **de** est utilisée après certains verbes comme : **venir de**, **avoir envie de**, **avoir besoin de**, **avoir hâte de**, **avoir le goût de**, **arrêter de**, **décider de**, **jouer de** (un instrument de musique), etc.

Ex. : Nous avons le goût de sortir.

Quelques autres prépositions

Préposition	Ce qu'elle indique ou ce qu'elle introduit	Exemple	Exception
en	un moyen de transport	Je vais à Toronto en avion.	à pied, à vélo
	la saison	En hiver, je vais faire du ski de fond.	au printemps
par	le moyen	J'envoie ce paquet par la poste.	
	le complément du verbe passif	Ce tableau a été peint par Andy Warhol.	
pour	le but, l'objectif ou le destinataire	J'ai apporté des fleurs pour Karen.	
chez	le lieu où quelqu'un habite (aussi : un commerce portant le nom de son propriétaire)	J'achète mes croissants chez Gauthier.	
sur	le lieu (au-dessus de)	Martin a déposé le vase sur la table basse.	
	le sujet	J'ai lu un livre sur les changements climatiques.	
dans	le lieu (à l'intérieur de)	Nous sommes arrivés dans la ville.	
avec	l'accompagnement	Je vais au théâtre avec Anne.	

⬅ À vous de jouer

1. La préposition *à* et ses formes contractées

À table

Complétez les phrases à l'aide des prépositions *à* et *de* ses formes contractées, comme dans l'exemple.

Exemple   un sorbet **au** citron

1. de la crème glacée _____ vanille

2. une tarte _____ framboises

3. un steak _____ poivre

4. du canard _____ orange

5. des profiteroles _____ crème fouettée

6. une omelette _____ épinards

7. un rôti _____ légumes

8. du pain _____ aneth

9. une pâte _____ pizza

10. un café _____ lait

11. une tarte _____ pommes

12. un pot- _____ -feu

13. un bol _____ salade

14. des escargots _____ ail

2. La préposition *de* et ses formes contractées

Minidialogues

Complétez les phrases à l'aide de la préposition *de* et de ses formes contractées, comme dans l'exemple.

Exemple — Je vais prendre un verre **de** vin, et toi ?
— Une bouteille **d'**eau minérale, ça ira très bien.

1. — Qu'est-ce que tu vas offrir à Martine pour son anniversaire ?
— Un livre _____ art. Elle adore l'art.
— Moi, j'opte pour un billet _____ spectacle.

2. — As-tu lu les critiques _____ dernier film de Brian Spears ?
— Il y a un article dans le journal _____ ce matin.

3. — Papa, tu m'achètes un sac _____ croustilles ?
— Oui, mais alors tu laisses le paquet _____ gomme.

4. — Tu viens avec nous cet après-midi ? Nous allons au Jardin botanique. On prend le métro.
— D'accord, on se retrouve au guichet _____ station Pie-IX ou devant l'entrée _____ Jardin botanique ?
— Comme tu veux.

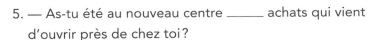

5. — As-tu été au nouveau centre _____ achats qui vient d'ouvrir près de chez toi ?
— Non, je n'ai pas eu le temps _____ sortir ces derniers temps. Je prépare mon examen d'admission aux HEC.

3. Les prépositions *à* et *de*, et leurs formes contractées

À la une

Complétez les phrases à l'aide des prépositions *à* ou *de* et de leurs formes contractées, comme dans l'exemple.

Exemple

NOUVELLES AUGMENTATIONS
DU PRIX DE L'ESSENCE À LA POMPE

1.

TEMPÊTE

_____ NORD _____ LAC SAINT-JEAN :
l'arrivée _____ secours ne se fait pas attendre.

4.

DÉFENSE

_____ DROITS _____ HOMME :
une nouvelle commission voit le jour.

2.

VOYAGE _____
PREMIER MINISTRE :
TROIS JOURS _____ BRÉSIL
ET DEUX _____ CHILI.

5.

C'EST OUVERT
_____ lundi
_____ vendredi,
8 h 30
_____ 16 h 30.

8.

BILAN _____ VACANCES
_____ CONSTRUCTION :
dix blessés sur les routes
_____ Québec.

3.

Avis

_____
intéressés :
le film _____
Bob Liré
est déjà
_____ affiche.

6.

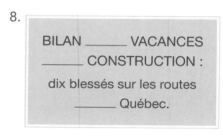

VOIES RÉSERVÉES

_____ heures de pointe

9.

LA CIRCULATION DEVIENT
DIFFICILE _____ PRINTEMPS
À CAUSE _____ TRAVAUX.

7.

AUGMENTATION _____ DETTE :
les experts analysent la situation _____ États-Unis,
_____ Canada, _____ Italie et _____ Japon.

4. Les verbes suivis des prépositions *à* ou *de*

Exercice

Complétez le texte à l'aide des prépositions *à* ou *de*, comme dans l'exemple.

Marie-Christine et Pablo viennent d'ouvrir un petit commerce, car Pablo a arrêté _____ travailler pour Artice. Tous les deux ont décidé alors _____ se lancer en affaires et _____ ouvrir un petit restaurant végétarien. Leurs amis les ont aidés _____ décorer l'endroit.

Pablo a été obligé _____ demander un prêt à la banque, mais il a réussi _____ obtenir une aide pour les jeunes entrepreneurs. Marie-Christine s'est inscrite _____ un cours de comptabilité. Dans leur resto, ils servent seulement des plats faits à base de produits biologiques. Ça fait longtemps que Marie-Christine s'intéresse _____ la cuisine végétarienne parce qu'elle correspond parfaitement _____ ses valeurs. Pablo et Marie-Christine sont fiers _____ avoir entrepris ce projet ensemble et pensent déjà _____ ouvrir un deuxième restaurant.

5. Les prépositions devant les noms de villes, de régions ou de pays : *en, à, au, aux* et *dans*

Exercice

Complétez les phrases à l'aide des prépositions appropriées, comme dans l'exemple.

Exemple Il est possible de voyager **au** Japon sans dépenser une fortune.

1. Beaucoup de voyageurs vont _____ l'Ouest canadien pour voir des paysages féériques et de grands espaces.

2. L'avion va atterrir _____ Halifax avant de mettre le cap sur Toronto.

3. Il y a énormément d'auberges sympathiques _____ les Cantons-de-l'Est.

4. _____ Montréal et _____ Québec, les gens parlent surtout français dans la rue.

5. Beaucoup de Canadiens vont _____ États-Unis pour les vacances.

6. On mange et on boit très bien _____ France.

7. On peut s'offrir de très belles vacances _____ Cuba.

8. Beaucoup de compagnies spécialisées en nanotechnologies s'installent _____ Inde.

9. La conférence annuelle sur les changements climatiques se tient _____ Brésil.

6. Les prépositions de lieu : *sur, dans, chez, à, en* et *avec*

Exercice

Complétez les phrases à l'aide des prépositions appropriées, comme dans l'exemple.

Exemple   Nous achetons toujours nos pâtisseries **chez** Gaumont.

1. Le docteur Bellavance a son cabinet rue des Érables. Ça fait longtemps que je travaille _____ lui.

2. Je suis allée _____ une vente de garage. J'ai acheté des assiettes _____ 1 $ chacune.

3. Philipe va passer _____ le fleuriste tout à l'heure. Il veut acheter des fleurs à Geneviève pour son anniversaire.

4. Je fais toujours mes déplacements courts _____ autobus, c'est plus pratique que la voiture.

5. Plusieurs évènements se tiennent _____ les rues de Montréal pendant l'été.

6. Je n'ai pas de garage, je stationne ma voiture _____ la rue.

7. Je garde toujours une boîte de mouchoirs _____ la voiture.

8. Véronique va au travail _____ pied. Elle habite _____ dix minutes du bureau.

9. _____ hiver, les embouteillages _____ heures de pointe sont importants _____ la région de Montréal. _____ certaines artères, il est presque impossible de circuler.

7. Les prépositions *par* et *pour*

Exercice

Complétez les phrases à l'aide des prépositions *par* ou *pour* selon le contexte, comme dans l'exemple.

Exemple   J'ai reçu un colis **par** courrier recommandé.

1. Qu'est-ce qu'on prépare _____ les enfants ? Des pâtes ?

2. Je vais passer _____ la porte arrière, il y a moins de neige.

3. Ils nous ont donné la réponse _____ téléphone.

4. Je me suis renseignée : une chambre _____ nous deux, c'est 140 $ _____ jour.

5. _____ envoyer un SMS, tu dois appuyer sur cette touche.

6. J'ai vendu ma voiture _____ 1 500 $. Elle était vieille, mais fonctionnait encore très bien.

7. Je pars _____ dix jours. En mon absence, vous pouvez vous adresser à madame Clément.

8. _____ quelle raison as-tu refusé de payer tes assurances ?

9. Il y a des œufs et du bacon _____ déjeuner ce matin.

10. Les suspects ont été arrêtés _____ les services de police.

8 L'INTERROGATION

Rappel grammatical

■ L'interrogation totale

Interrogation totale	Exemple
avec l'expression **est-ce que**	Est-ce que vous venez ?
inversion du sujet	Venez-vous ?
interrogation tonale	Vous venez ? (à l'oral seulement)

■ L'interrogation partielle : les adverbes interrogatifs et les adjectifs interrogatifs

Interrogation partielle	Exemples
avec un adverbe interrogatif : **où, pourquoi, comment, combien, quand**	Comment vas-tu ? Quand revient-elle de vacances ?
avec des mots interrogatifs : **jusqu'à quand, depuis quand, depuis combien de temps, d'où, par où**	Depuis quand habitez-vous ici ? Depuis combien de temps vit-il à Montréal ? Par où se trouve la sortie ?

Autres formes d'interrogation partielle	Exemples
avec un adverbe interrogatif suivi de l'expression **est-ce que**	Pourquoi **est-ce que** tu portes un chapeau ?
avec un adverbe interrogatif avec inversion du sujet	Quand portes-**tu** ce chapeau ?
avec un adverbe interrogatif en fin de phrase (sauf **pourquoi**)	Véronique part quand ?
avec les adjectifs interrogatifs **quel, quelle, quels** ou **quelles** • suivis de **est-ce que** • avec inversion du sujet • positionné en fin de phrase	 Quel jour **est-ce que** tu arrives ? Quel jour arrives-**tu** ? Tu iras rendre visite à Sophie quel jour ?
avec les prépositions **de, pour, à, dans, avec** suivies des adjectifs interrogatifs **quel, quelle, quels** ou **quelles**	Avec **quels** outils as-tu construit cette table en céramique ?

L'interrogation partielle : les pronoms interrogatifs

Construction de l'interrogation partielle	Exemples
ajout du pronom interrogatif **qui**	Qui est là ?
ajout du pronom interrogatif **qui** suivi de l'expression **est-ce que** ou **est-ce qui**	Qui **est-ce que** tu vas inviter ? Qui **est-ce qui** ne vient pas ?
ajout des prépositions **de**, **pour**, **chez**, **à**, **par**, **sur** suivies du pronom interrogatif **qui**	De **qui** parlez-vous ? Vous logez chez **qui** ?
ajout du pronom interrogatif **que**	Que buvez-vous ?
ajout du pronom interrogatif **que** suivi de l'expression **est-ce que** ou **est-ce qui**	Qu'**est-ce que** vous buvez ? Qu'**est-ce qui** vous intéresse ?
ajout des prépositions **à**, **de**, **sur**, **avec** suivies du pronom interrogatif **quoi**	À **quoi** penses-tu ? De **quoi** avez-vous besoin ?

Remarque

À l'oral, on peut utiliser une question partielle dans laquelle le pronom interrogatif **quoi** n'est pas positionné en début de phrase.

Ex. : Tu fais quoi ce soir ?

L'INTERROGATION

 # À vous de jouer

1. L'interrogation avec *quoi, que* et *qu'est-ce que*

Exercice

Écrivez les questions manquantes selon l'exemple donné en haut de chaque colonne.

Exemple		
Qu'est-ce que vous faites dimanche ?	Que faites-vous dimanche ?	Vous faites quoi dimanche ?
1. _____ _____	Que veux-tu savoir ?	_____ _____
2. Qu'est-ce qu'ils attendent pour mettre la table ?	_____ _____ _____	_____ _____
3. _____ _____	_____	Tu fais quoi demain soir ?
4. _____	Qu'écris-tu en ce moment ?	_____ _____
5. _____ _____	_____ _____	Vous faites quoi comme boulot ?
6. Qu'est-ce que vous prenez comme apéritif ?	_____ _____ _____	_____ _____
7. _____ _____ _____	Que préfères-tu ? Une robe blanche ou une robe noire ?	_____ _____
8. Qu'est-ce que tu prends ?	_____ _____	_____ _____
9. _____ _____	Que dis-tu de ce film ?	_____ _____

2. L'interrogation avec *quel*, *quelle*, *quels* et *quelles*

Exercice

Trouvez les questions ou complétez-les, comme dans l'exemple. Les questions portent sur la partie soulignée.

Exemple   Vous partez quel jour ?
Nous partons <u>le dimanche 3 juin</u>.

1. _____ toutes ces années ?
J'ai surtout habité <u>dans la ville de Québec</u>.

2. _____ ?
Je suis arrivé <u>à 7 h</u>, ce matin.

3. _____ ?
Je crois que nous serons là <u>vers midi</u>.

4. Votre patron, _____ ?
Il est <u>colombien</u>.

5. _____ ?
Mon bureau se trouve <u>dans la rue de l'Église</u>.

6. _____ ?
Ma voiture est <u>noire</u>.

L'INTERROGATION

7. _____ ?

Il joue <u>pour l'orchestre de Longueuil</u>.

8. _____ ?

J'ai obtenu mon diplôme <u>en 1998</u>.

9. _____

avez-vous abandonné la politique ?

<u>Pour plusieurs raisons</u> : la première et la plus importante,
c'est que je voulais accorder plus de temps à ma famille.

3. Les mots interrogatifs

Exercice

Trouvez les questions ou complétez-les, comme dans l'exemple. Les questions portent
sur la partie soulignée.

Exemple **Pourquoi sont-ils en grève ?**
Ils sont en grève <u>parce que l'employeur refuse de négocier leurs conditions de travail</u>.

1. _____ ?

Mon accès à Internet est coupé <u>depuis au moins 3 jours</u>.

2. _____ ?

J'ai peur <u>du noir</u>.

3. Vous restez à Rimouski _____ ?

<u>Jusqu'à la fin de l'été</u>, au moins.

4. _____ ?

Je parle chinois <u>depuis 1997</u>. J'ai vécu à Beijing pendant cinq ans et j'ai eu l'occasion
d'apprendre le chinois.

5. _____ avez-vous réussi à obtenir des billets pour ces dates-là?

Nous avons fait des recherches sur tous les sites de voyages les plus connus. C'est vrai que ça n'a pas été facile. Pour ces dates-là, il faut réserver à l'avance, mais nous avons eu de la chance. Enfin, on a trouvé deux billets.

6. _____?

Ma fille habite à Londres depuis 10 ans.

7. Le chemin pour arriver au chalet des Durand n'est pas facile. _____ _____ passer?

Nous allons passer par la 132. C'est le chemin le plus sûr.

8. Romina se marie? _____?

Avec Michel Desserres, ils se marient en septembre prochain.

9. _____?

Ce sont des pommes d'importation. Elles viennent de Californie.

4. L'interrogation : l'inversion du sujet

Exercice

Transformez les questions suivantes en utilisant l'inversion, comme dans l'exemple.

Exemple   Est-ce qu'André joue de la guitare?
André joue-t-il de la guitare?

1. Est-ce que les joueurs sont prêts?

_____?

2. Est-ce que vous souhaitez une table près de la fenêtre?

_____?

3. Est-ce que vos bagages sont déjà à la réception ?

_____ ?

4. Comment est-ce que vous allez faire cet exercice ?

_____ ?

5. Est-ce que vous sortez beaucoup ?

_____ ?

6. Est-ce que vous allez prendre des photos de la cérémonie
   d'ouverture des jeux ?

_____ ?

7. Qu'est-ce que tu fais dimanche soir ?

_____ ?

8. Est-ce que tu as envie de déjeuner au resto ?

_____ ?

9. Est-ce que vous prenez la chambre du 2e étage ?

_____ ?

5. L'interrogation avec *qu'est-ce que, qu'est-ce qui, qui est-ce que* et *qui est-ce qui*

Exercice

Complétez les questions en vous inspirant de l'exemple.

Exemple Qu'est-ce que vous préparez ?

1. _____ a appelé pendant mon absence ?

2. _____ te ferait plaisir pour ton anniversaire ?

3. _____ vous pensez des nouvelles politiques économiques du gouvernement ?

4. _____ se passe avec le téléphone de la salle de conférence, la ligne est coupée ?

5. _____ vous avez l'intention d'inviter à cette réunion ?

6. _____ vous a répondu cette semaine ?

7. _____ tu vas voir au cinéma ?

8. _____ vous intéresse dans l'œuvre de ce compositeur ?

9. _____ vous voulez faire après le spectacle ?

10. _____ tu utilises comme moyen de transport ?

CORRIGÉ

LES DÉTERMINANTS   P. 12

1. Exemples de réponses

1. un verre de jus de pomme ; un jus de pomme
2. un verre d'eau ; une bouteille d'eau
3. un pot de confiture ; un peu de confiture
4. un pain ; un morceau de pain
5. une tomate ; un kilo de tomates
6. un verre de lait ; une tasse de lait
7. une gousse d'ail
8. un poulet ; un morceau de poulet
9. une boîte de petits pois
10. un verre de vin ; un litre de vin
11. un contenant de limonade ; un litre de limonade ; un verre de limonade
12. un paquet de croûtons
13. un kilo de farine ; une tasse de farine
14. 100 g de beurre ; un paquet de beurre
15. une boisson gazeuse ; un litre de boisson gazeuse
16. une laitue
17. un paquet de poivre
18. un litre d'huile
19. un kilo d'oignons ; un oignon

2. Exemples de réponses

Déterminants définis	Déterminants indéfinis ou partitifs	Déterminants quantifiants	Forme négative
1. Je préfère les pommes.	Je mange une pomme.	Je prends trois pommes.	Je ne prends pas de pommes.
2. Je n'aime pas le lait.	Je bois du lait régulièrement.	J'achète un litre de lait.	Je n'achète pas de lait.
3. J'aime bien le vin rouge.	Je prends parfois du vin rouge.	J'achète une bouteille de vin rouge.	Je n'achète pas de vin rouge.
4. Je déteste les bananes.	Je mange des bananes.	J'achète peu de bananes.	Je n'achète pas de bananes.
5. J'aime l'eau fraîche.	Je bois de l'eau fraîche.	J'ai trois bouteilles d'eau fraîche.	Je n'ai pas d'eau fraîche.
6. J'aime le chocolat.	Je mange du chocolat.	J'ai deux tablettes de chocolat.	Je n'ai pas de chocolat.
7. Je déteste la confiture aux abricots.	J'achète de la confiture aux abricots.	J'ai un pot de confiture aux abricots.	Je ne mange pas de confiture aux abricots.
8. J'aime bien la crème glacée.	Je prends de la crème glacée.	Je mange un cornet de crème glacée.	Je ne mange pas de crème glacée.
9. Je préfère le poulet rôti.	Je mange du poulet rôti.	J'achète un poulet rôti.	Je ne mange pas de poulet rôti.
10. Je n'aime pas les oignons.	J'ajoute des oignons tranchés dans ma salade.	J'achète un paquet d'oignons.	Je n'ai pas d'oignons.

3.

	VRAI	FAUX
1. La recette de couscous royal comprend 1 kilo d'agneau.		✓
2. Il faut de l'ail pour préparer le poulet tandoori.	✓	
3. Il y a du cumin moulu dans les deux recettes.	✓	
4. Il y a des épices dans les deux recettes.	✓	
5. Il n'y a pas de légumes dans le poulet tandoori.	✓	
6. Dans le couscous royal, on met du yogourt.		✓
7. Une cuillère à thé de cari est nécessaire pour préparer le poulet tandoori.	✓	
8. La boîte de pois chiches est un ingrédient irremplaçable dans le couscous royal.	✓	
9. Dans la recette de couscous royal, il n'y a pas d'huile.	✓	

4.

Insomniaques	Asthmatiques	Obèses	Anxieux
Il vaut mieux éviter les chambres bruyantes. Vous ne devez pas faire de sport au moins trois heures avant de vous coucher. Évitez le stress. Ne mettez pas la télévision dans la chambre à coucher.	Vous devez faire du sport. Pratiquer le yoga peut aider. L'utilisation de la pompe est recommandée. Attention au stress : une situation stressante peut conduire à une crise d'asthme.	Attention aux sucreries. Ne mangez pas de pâtes, ne prenez pas de pain pendant les repas. Faites de l'exercice.	Vous pouvez consulter des livres sur le sujet. Il faut apprendre à identifier les symptômes du stress. Vous pouvez essayer des remèdes tels que la valériane.

5. Exemples de réponses

1. Recevez nos plus sincères salutations. Caroline et Nicolas.

2. À l'occasion de votre anniversaire de mariage, recevez, chers amis, tous mes vœux de bonheur.

3. Veuillez agréer l'expression de mes sentiments les meilleurs.

CORRIGÉ

4. Que tous tes rêves se réalisent.

5. Que cette nouvelle année t'apporte la réussite dans tous tes projets.

6. À l'occasion de cette nouvelle année, je te présente mes vœux de bonheur, à toi et à ta famille.

7. Pour fêter vos dix ans ensemble, il faut du champagne ! Bon anniversaire.

8. Recevez nos meilleures salutations. Nous sommes contents de votre réussite. Vous l'avez bien méritée.

9. Toutes mes félicitations Véronique. Vous avez réussi.

6.

1. Nicolas apporte souvent son portable en vacances.	Véronique n'apporte jamais le sien.
2. J'aime bien aller déjeuner avec mes amies. Nous parlons de beaucoup de sujets intéressants.	Avec les miennes, je vais souvent au cinéma.
3. Mon partenaire de danse est vraiment bon. Il sait faire plusieurs pas difficiles.	Le mien danse depuis longtemps aussi, il me semble.
4. Prenez mon numéro de cellulaire. Je ne suis pas souvent à la maison.	Prenez le mien aussi. C'est plus facile de me joindre par téléphone que par courriel.
5. Est-ce que le directeur a mon adresse courriel ?	Je crois que oui. En tout cas, moi, j'ai la sienne.
6. J'attache toujours ma bicyclette à un support à vélos.	Je laisse la mienne à l'intérieur pour éviter les vols.
7. J'adore tes cheveux. Dis donc, qui est ton coiffeur ?	Mais voyons, le même que le tien. C'est toi qui me l'as référé.
8. Ma fille termine sa formation universitaire cette année.	La mienne termine la sienne l'année prochaine.
9. Est-ce qu'on prend ta voiture ?	Non, j'ai laissé ma voiture au garage. Prenons plutôt la tienne.

7. 1. — Quel est le prix de **cet** imperméable?

— 150 $. Mais **celui-ci** est beaucoup moins cher. Regardez, c'est presque la même qualité.

2. — **Cette** année, je ne pars pas en vacances. **Celles** de l'année dernière ont coûté cher et puis nous faisons des économies pour acheter une maison l'an prochain.

3. — Pardon, madame, est-ce que je peux vous prendre **ces** deux chaises?

— Je suis désolée, elles sont occupées, nous attendons deux personnes. Mais prenez **celles-ci**, elles sont libres.

— Merci bien.

4. — Qu'est-ce que tu fais avec **ces** deux chiens?

— **Celui-ci** est à moi, le petit Lucky, mais l'autre est à mon voisin. Je le garde pendant une semaine.

— Ils sont mignons.

5. — Tu penses que **cette** cravate pourrait plaire à Claude?

— **Celle-ci**? Je ne sais pas. Je ne le connais pas beaucoup. Je crois qu'il aime plutôt les couleurs sobres.

— Alors, pourquoi pas **celle-ci**, la bleu marine, ça va avec tout.

— Tu as raison.

6. — Madame, pouvez-vous me dire le prix de **ce** collier?

— Avec plaisir. Laissez-moi regarder. Il est à 25 $.

— Merci.

7. — Marie-Pierre aimerait qu'on apporte quelques CD pour la soirée.

— Tiens, prends **ceux-là**, c'est de la musique du monde. Elle aime ça.

8. — Es-tu déjà allé manger au Coq au vin?

— Oui, j'aime bien **ce** resto. La cuisine est excellente, et ce n'est pas trop cher.

8. 1. Venez nous voir. Différents modèles sont offerts. Un seul prix.

2. Nous vous présentons des extraits d'opéras célèbres et d'autres œuvres du grand compositeur baroque Jean-Sébastien Bach.

3. Chaque jour, *La Presse* se renouvelle et vous présente toute l'actualité culturelle et internationale.

4. Chaque conférence sera présentée une heure avant chaque concert.

5. Tous nos points de service sont ouverts du lundi au vendredi, de 9 h à 21 h. Appelez-nous.

6. Appelez-nous n'importe quel jour à n'importe quelle heure. Nous sommes toujours ouverts.

7. Plusieurs destinations vous attendent. Voyages LAM

8. Billets encore en vente pour certains vols vers l'Europe. Dépêchez-vous de réserver vos places.

9. Les grandes croisières Bateaux géants. Les Caraïbes à leur meilleur. Plusieurs autres destinations offertes.

L'ADJECTIF QUALIFICATIF   P. 23

1. Exemples de réponses

   1. de l'eau potable, fraîche, naturelle

   2. un manteau long, court, chaud

   3. une chambre confortable, ensoleillée, propre

   4. un ordinateur neuf, rapide, portable

   5. un téléphone cellulaire intelligent, garanti, performant

   6. un hôtel luxueux, cher, central

   7. un restaurant chic, cher, luxueux

   8. une voiture spacieuse, performante, fiable

   9. un film drôle, émouvant, mauvais

   10. une ambiance chaleureuse, décontractée, paisible

2. 1. — Et puis, Aida, c'était bien?

   — Ah oui, c'était très bon. Les décors étaient vraiment grandioses.

   — Qui tenait le premier rôle?

   — Lucie Desroches, la célèbre soprano.

   — Oui, je la connais. Elle est excellente.

   — Le dernier tableau est vraiment spectaculaire. Plus de cent personnes sur scène.

   Une fin toute en beauté.

2. — Alors le concert au Centre Bell ?

— Terrible. Complètement nul. Le son était tellement mauvais qu'on entendait seulement les graves et pas du tout les paroles. En plus, la salle était mal climatisée et nous avons eu froid toute la soirée. La performance de Freddy a été plutôt médiocre. Il n'a pas chanté comme d'habitude. Ce n'était pas original ni plaisant. Bref, une soirée plutôt ratée.

— Dommage !

3. — Es-tu allé au mariage de Francine et Juan ?

— Ça, c'était toute une soirée. Les mariés étaient tellement heureux ! Et la fête, quelque chose d'inoubliable. Premièrement, lors de la cérémonie à l'église, tout le monde était ému. On voyait que Francine était nerveuse, mais Juan avait l'air plutôt calme. Quelques personnes pleuraient. La robe de Francine était très belle, simple et sobre, mais chic en même temps.

— C'était où la fête ?

— Dans un site enchanteur, sur le bord du fleuve. Il y avait au moins trois cents invités. Puis, un orchestre qui a joué toute la soirée.

— Et la bouffe ?

— Délicieuse. En fait, les mariés avaient pensé à tous les petits détails. Une fête vraiment réussie.

3. 1. Goûtez à la cuisine antillaise!

2. Découvrez le charme des villes marocaines.

3. Le chorégraphe montréalais nous présente un spectacle unique en son genre.

4. Les salles torontoises offrent une programmation originale et variée.

5. La rentrée culturelle parisienne ne laissera personne indifférent.

6. Savourez les vins rouges australiens aux arômes riches et raffinés.

7. Les destinations européennes sont toujours très populaires chez les voyageurs.

8. Danses indiennes classiques et contemporaines à la maison de la culture de Rouyn-Noranda.

9. Une cuisine chinoise haute en couleur a séduit le public du 3e Salon gastronomique de l'Estrie.

4. Bon, vous êtes prêts pour la visite? Ce nouveau projet de condos est tout à fait unique en son genre. Un édifice de vingt étages construit au cœur du Vieux-Montréal industriel. L'ancien site du centre de tri de Postes Canada.

Toutes les unités ont de belles fenêtres qui donnent sur le canal.
Certaines offrent aussi des terrasses ou
des balcons assez grands.

Le quartier va être remis à neuf.
De nouvelles boutiques, de nouveaux
parcs, de belles promenades, de beaux
bistros, et même une patinoire à proximité
du Vieux-Montréal et des
vieilles petites rues animées.

Les condos sont construits dans la vieille raffinerie Darling, entièrement rénovée. Nous conservons le cachet des lieux, mais les installations sont neuves.

Il y a deux belles grandes piscines sur le toit. Le solarium est beau. On peut admirer le vieux quartier industriel Pointe-Saint-Charles et le pont Victoria.

Commentaires des acheteurs

1. Quelle belle vue! Et regarde le bel espace que j'ai dans mon salon! C'est magnifique.

2. Nous aimerions avoir des informations sur les nouvelles unités qui seront prêtes bientôt.

3. C'est un vieux quartier refait à neuf.

4. J'adore mon nouveau condo.

5. Les jardins sont grands et magnifiques.

6. Le nouveau quartier s'appelle Bonaventure.

7. Les acheteurs sont pour la plupart de nouveaux acheteurs, jeunes, en grande majorité.

8. Les vieilles usines recyclées en condos de luxe ont un charme particulier.

9. Les architectes ont choisi de garder la vieille façade, mais les portes sont toutes neuves et les fenêtres aussi.

10. Les ponts qui relient l'esplanade au plan d'eau ont l'air vieux, mais en fait ils sont tous les deux tout neufs.

5. Chère Brigitte,

Je viens de m'installer dans ma nouvelle maison, un beau grand loft situé dans une vieille usine recyclée. J'ai un bel espace de travail en bas et une belle lumière baigne le grand salon. C'est à cet endroit que j'ai installé mon chevalet et mes toiles. Je vais pouvoir peindre à la lumière naturelle, car les fenêtres sont immenses. Un escalier permet d'accéder à l'étage supérieur, en mezzanine où se trouvent ma chambre et une petite alcôve intime pour mes moments de lecture et de détente. J'ai un autre espace dans la mezzanine où prennent place le piano et un lit pour les invités. Je suis très heureuse de mon nouvel environnement. Je pends la crémaillère entre amis le 21 septembre. Si tu ne peux pas venir, je te ferai parvenir les photos par Facebook.

Amitiés,
Céline

6. 1. À la radio

Pour une peau douce et délicate, essayez les nouvelles crèmes hydratantes biologiques
de Parfums des champs.

2. Chez le marchand de crème glacée

— Qu'est-ce que tu prends?

— Un cornet de crème glacée molle à la vanille, ma saveur favorite, et toi?

— Un yogourt glacé aux framboises.

3. Pendant un congrès sur les composantes informatiques

— Es-tu bien réveillé? On commence à travailler dans une demi-heure?

— Je suis tout à fait réveillé, frais et dispos.

4. Chez le coiffeur

— Une semaine au bord de la mer et mes cheveux sont abîmés.
Quoi faire?

— Je vous suggère ce shampooing. Il est nouveau sur le marché,
il est très très doux, l'idéal pour des cheveux abîmés.

5. Le secret du gâteau

— J'aime bien ton gâteau au fromage. Quel est ton secret?

— Je mets un pot de crème fraîche à la place du lait. Ça fait toute la différence.

— Je vais l'essayer.

6. Au restaurant grec

— Qu'aimerais-tu prendre comme entrée?

— Une bonne salade grecque ferait bien mon affaire. Ici, en plus, elle est excellente.

7. Le concert

— Alors, tu ne vas pas au concert de Frida ?

— Non, je déteste les longues files d'attente. Et pour ces concerts, c'est toujours la même chose, des queues interminables.

8. Bertrand

Bertrand a passé une nuit blanche hier : il voulait finir son travail et il n'a pas dormi du tout.

9. Alerte d'incendie

— Il paraît qu'il y a eu une alerte d'incendie, la nuit passée dans votre immeuble ?

— Oui, c'était une fausse alerte, mais nous avons dû passer une heure dans la rue avant que les pompiers arrivent.

10. Petite enfance

Les recherches montrent qu'il est important pour les enfants en bas âge de passer beaucoup de temps avec leur mère.

11. Une longue promenade

— Attends, ça fait deux heures qu'on marche, je n'en peux plus. J'ai la bouche sèche, j'ai soif, je vais boire un peu d'eau.

— D'accord, faisons une pause de quinze minutes.

— Au fait, je viens d'acheter une petite table basse pour mon salon, un vrai petit bijou.

12. Inscription à l'université

— Ma fille vient de s'inscrire à l'université.

— En quoi ?

— En relations publiques.

13. À propos d'un divorce

— Marie-Ève et Jean-Luc ne sont plus ensemble ?

— Non, ils viennent de divorcer. Il paraît que Jean-Luc était très jaloux.

— Et Marie-Ève ?

— Elle n'était pas jalouse du tout.

14. Partir à l'aventure

— Tu sais qu'Anne-Laure veut partir faire le tour du monde ?

— Je ne savais pas. C'est un projet un peu fou, non ?

— Oui, un peu, mais Anne-Laure, c'est une aventurière.

7. 1. une salade fraîche

   2. un dimanche tranquille

   3. une belle robe

   4. un joli quartier

   5. une rencontre romantique

   6. une grande entreprise

   7. un vol direct

   8. un ami sympathique

   9. un long voyage

   10. la première marche

   11. un thé anglais

8. 1. Les villes les plus connues en Amérique du Nord sont Vancouver, Toronto, Montréal et New York.

   2. Les concerts prévus au programme devront être annulés en cas de pluie.

   3. Mon copain Antoine vient d'acheter une maison totalement rénovée.

   4. La version revue et améliorée du logiciel Antidote est déjà en vente.

   5. Les automobilistes ne peuvent pas circuler sur les voies réservées entre 15 h et 18 h.

   6. Animaux interdits en avion : nouvelle réglementation.

   7. Les services offerts comprennent un déplacement en limousine et des photos publicitaires.

   8. Les sommes avancées ne couvrent pas les frais de restauration.

   9. Les candidats élus recevront une confirmation par la poste.

   10. Les immigrants reçus bénéficient des mêmes avantages que les citoyens canadiens.

CHAPITRE 3

LE NOM   P. 34

1. 1. — Je te présente Nathalie Filion, auteure de romans pour la jeunesse.
— Enchantée.

2. — Hugo Laflamme, ingénieur chez Lavalin, il travaille sur un projet de train à grande vitesse
en ce moment et voici sa femme, chirurgienne à l'Hôpital général de Montréal.
— Bonjour, ça me fait plaisir de faire votre connaissance. Je m'appelle Véronique Insel,
professeure à l'Institut des langues.

3. — René Fling, danseur de tango et vous ?
— Roxana, ma copine, dessinatrice 3D et moi, technicien en informatique.
— Bonjour.

4. — Bonsoir, je m'appelle Madeleine Arbie. Je travaille comme couturière chez Georges
Labandera, nous faisons du prêt-à-porter.
— Très intéressant, moi je suis journaliste au journal *Le Sud*. Je connais les créations
de Labandera.

5. — Votre nom et votre profession ?
— Marguerite Lachance, chanteuse.
— Quel genre ?
— Pop. Et vous ?
— Non, moi, je ne suis pas chanteur. Je m'appelle Frédéric Gousse, je suis traiteur, je travaille
surtout pour les hôtels. Je m'occupe des commandes pour des évènements spéciaux.

6. — Je vous présente Micheline Rivière, comédienne. Elle a joué dans une série qui est passée
à la télé récemment.
— Ah oui, c'était très bon ! Bonjour, Micheline. Moi, je m'appelle Léon Lapostolle et je travaille
comme entraîneur dans un centre sportif.

7. — Christopher Bragdon, médecin généraliste, John O'Connor, écrivain et Marilyn Rokash,
   écrivaine, elle aussi. Tous les deux font des romans.
   — Bonjour, je me présente, mon nom est Tony de Micheli, je suis chef d'entreprise.
   Je fabrique des pièces d'automobiles.

8. — Bonjour, votre nom?
   — Rick Thomson. Je suis fonctionnaire au gouvernement provincial. Et vous?
   — Sophie Lan, je suis encore étudiante. Je termine ma deuxième année en sciences.

2. 1. Où sont les journaux de la semaine passée? Je cherche un article dans la section Habitation.

2. Les temps ont bien changé. Tout a changé.

3. Sais-tu quel jour aura lieu la remise des prix de la haute couture?

4. Cette année, je dois changer mes quatre pneus. Ils sont trop usés.

5. Il paraît que les festivals de cette année ont tous une programmation d'enfer! Il y aura
   beaucoup de récitals intéressants.

6. Ma copine Chantal a deux chevaux dans une écurie non loin de Saint-Hyacinthe. On ira les voir.

7. Hier, j'ai vu les bijoux de Florence. Ils sont très beaux. Surtout le bracelet en or.

8. Je ne sais pas comment faire des tableaux avec le nouveau programme Word.

9. As-tu déjà signé les contrats pour les travaux de rénovation dans la maison?

3.

1. l'entrée des marchandises	entrer
2. les arrivées internationales	arriver
3. un départ	partir
4. la fermeture temporaire du tunnel Viger	fermer
5. le vol à l'étalage	voler
6. un passage interdit	passer
7. une annulation	annuler
8. un déménagement	déménager
9. un centre de recherches	rechercher
10. l'entraînement	s'entraîner
11. un envoi postal	envoyer
12. une plainte	plaindre
13. la location d'équipement	louer
14. une descente interdite	descendre
15. l'emballage-cadeau	emballer
16. un paiement comptant seulement	payer
17. un renseignement	renseigner
18. le service des prêts	prêter
19. les bourses d'études	étudier

LES PRONOMS   P. 41

A. LES PRONOMS PERSONNELS COMPLÉMENTS DIRECTS (CD) ET COMPLÉMENTS INDIRECTS (CI)

1. 1. Oui, on la prépare. / Non, on ne la prépare pas.

2. Oui, on l'appelle. / Non, on ne l'appelle pas.

3. Oui, on les prévient. / Non, on ne les prévient pas.

4. Oui, on l'imprime. / Non, on ne l'imprime pas.

5. Oui, on les achète. / Non, on ne les achète pas.

6. Oui, on les invite. / Non, on ne les invite pas.

7. Oui, on la loue. / Non, on ne la loue pas.

8. Oui, on le laisse passer. / Non, on ne le laisse pas passer.

9. Oui, on les décore. / Non, on ne les décore pas.

2. 1. Oui, j'en bois un tous les soirs.

2. Non, je n'en achète pas beaucoup.

3. Non, je n'en ai pas toujours.

4. Oui, j'en ai quelques-unes.

5. Non, je n'en ai aucune.

6. Oui, j'en fais régulièrement.

7. Non, je n'en reçois pas souvent.

8. Non, je n'en mange pas.

9. Oui, j'en emprunte souvent.

3.

1. Achetez-vous le pain chez le boulanger ?	Oui, je l'achète chez le boulanger.
2. Repassez-vous vos vêtements ?	Oui, je les repasse.
3. Gardez-vous les reçus de vos achats ?	Oui, je les garde.
4. Achetez-vous des magazines de mode ?	Oui, j'en achète.
5. Prenez-vous un verre de vin à chaque repas ?	Oui, j'en prends un à chaque repas.
6. Réparez-vous vous-même votre ordinateur ?	Oui, je le répare moi-même.
7. Faites-vous du yoga ?	Oui, j'en fais.
8. Suivez-vous les tendances de la mode ?	Oui, je les suis.
9. Regardez-vous des films en ligne ?	Oui, j'en regarde.
10. Consultez-vous les pages jaunes ?	Oui, je les consulte.
11. Lisez-vous le journal en ligne ?	Oui, je le lis.
12. Avez-vous un vélo ?	Oui, j'en ai un.
13. Recevez-vous des courriels tous les jours ?	Oui, j'en reçois tous les jours.
14. Mettez-vous l'eau dans le réfrigérateur ?	Oui, je la mets dans le réfrigérateur.

4. 1. Oui, je vais le passer cette année.

2. Oui, ils leur ressemblent beaucoup.

3. Un représentant de la compagnie va les attendre à l'aéroport.

4. Oui, nous leur avons communiqué la décision.

5. Oui, je les aide.

6. Non, je ne vais pas leur prêter ma voiture.

7. Oui, je le trouve gentil.

8. Oui, ils la font souvent le dimanche.

9. Oui, je vais lui apprendre le français.

5. — Bonjour, je cherche un cadeau pour une jeune fille.
Quelque chose de très féminin.

— Est-ce qu'elle met du parfum?

— Oui, je crois qu'elle en met. Attendez, je vais
téléphoner à son père pour lui demander.

— J'ai cette eau de Garand. C'est frais, c'est un
parfum idéal pour une jeune fille. Sentez-le.

— C'est vrai, je l'aime bien. Je vais le prendre.

— Je l'ai en 20 cl et en 50 cl.

— Je prends la plus petite bouteille. Ça ira. Auriez-vous une petite carte?

— Oui, j'en ai quelques-unes ici. Regardez.

— Merci, je vais lui écrire un mot pour son anniversaire.

— Le parfum, je vous l'emballe?

— Oui, s'il vous plaît, j'aimerais bien avoir un emballage-cadeau.

— Je le fais tout de suite.

6. 1. Non, ils n'y vont pas.

2. Oui, j'y suis.

3. Oui, j'y passe mes vacances.

4. Non, je n'y retourne pas chaque année.

5. Oui, j'y reste encore une autre année.

6. Non, il n'y habite pas.

7. Oui, il paraît qu'ils y retournent cette année.

8. Bonne idée, on y va.

9. Non, nous n'y allons pas.

7. 1. Je suis désolée, madame, je ne peux pas vous aider.

2. Peux-tu me / nous passer le journal ?

3. Monsieur, je peux vous prendre cette chaise ?

4. Je vais t'indiquer le chemin pour venir chez moi. Tu verras, ce n'est pas compliqué.

5. Pourriez-vous m' / nous aider à porter les bagages ?

6. Veux-tu me / nous donner ton numéro de téléphone ?

7. Je vais t' / vous envoyer les billets par courriel.

8. Pourrais-tu me / nous prêter tes notes de cours ?

9. Pourrais-tu me / nous dire si la pharmacie est ouverte le 24 juin ?

10. Bonjour, mon mari et moi avons retenu une chambre dans votre hôtel. Auriez-vous la gentillesse de nous envoyer une confirmation de la réservation par courriel ?

11. Je vais t'expliquer comment faire fonctionner cette laveuse. Regarde !

12. On te promet que tu auras l'argent pour ton voyage si tu obtiens ton diplôme.

13. Maman, peux-tu me passer 20 $? Marilyn et moi allons au cinéma ce soir.

14. Nous organisons une fête en l'honneur de notre fille qui vient de recevoir son diplôme d'études universitaires et nous aimerions vous inviter à être des nôtres, vous et votre famille.

8. J'habite dans cet immeuble depuis trois mois. J'ai un problème avec mon voisin du 3ᵉ étage. Il laisse la radio allumée pendant la nuit, et ça me dérange. Je ne sais pas si je devrais lui parler de cette situation ou plutôt envoyer une lettre au propriétaire. J'ai parlé avec un autre voisin, je lui ai raconté ce qui se passait, et il m'a avoué que la musique le dérangeait aussi. Il propose que l'on parle au propriétaire, mais c'est un homme tellement occupé ! J'ai essayé plusieurs fois de lui téléphoner, mais c'est impossible de le joindre. Il n'est jamais là et je suis obligé de laisser des messages sur son répondeur. J'en ai laissé trois le mois dernier et il ne m'a jamais rappelé. Alors, je devrais lui envoyer une lettre. C'est compliqué. De toute manière, il ne serait pas impossible que nous déménagions. Ma femme a reçu un appel d'un employeur de Trois-Rivières qui aimerait la rencontrer cette semaine et lui faire une offre. Si elle obtient le poste, nous aurons peut-être aussi une maison à nous !

B. LES PRONOMS RELATIFS

1. 1. Au moment où le suspect a fait irruption dans la salle, il y avait quatre étudiants qui préparaient un projet en sciences que leur professeur leur avait confié avant de partir.

   2. J'irai voir le film que Manon a vu hier. Il paraît que les paysages sont fabuleux. En plus, j'aime les acteurs qui jouent dans ce film et que j'ai déjà vus dans de nombreuses autres productions.

   3. Cette année, passez des vacances de rêve en visitant les endroits magiques qui vous enchanteront et que vous n'oublierez jamais.

   4. En achetant le produit que nous vous proposons, vous recevrez un rabais qui vous sera envoyé par la poste, durant la semaine où vous ferez votre achat.

2. 1. Au moment où l'alarme a sonné, nous étions au 3ᵉ étage. Nous sommes vite descendus dans la rue et nous avons vu la fumée qui sortait d'une fenêtre du 6ᵉ étage.

2. Martin veut me faire visiter la maison **où** il passait ses vacances d'été. Il paraît qu'elle se trouve à un endroit **où** il n'y a presque pas de voitures. C'est un endroit **que** j'ai vraiment envie de découvrir avec lui.

3. Le jour **où** nous nous sommes rencontrés, il pleuvait beaucoup. Mario avait un parapluie **qu'**il venait d'acheter et il m'a proposé de le partager. Nous attendions un autobus **qui** passait toutes les demi-heures et nous avons parlé tout ce temps.

3. 1. Afin de retrouver une vie normale après ses années de prison, Nico est prêt à abandonner la carrière de voleur de banque **qu'**il mène depuis sa jeunesse. À sa sortie de prison, il se retrouve dans le quartier **où** tout a commencé. Réussira-t-il à résister aux tentations **qui** se présentent à lui?

2. Voici un film **où** horreur et comique forment un curieux mélange **qui** vous séduira et vous fera rire. Un film **que** vous n'oublierez pas.

3. Antoine Desroches, artiste peintre, vit à Berlin **où** il mène une existence paisible. Un jour, il trouve une note sur la porte de l'atelier **qu'**il partage avec son ami et collègue, Guillaume Tallis. Le monde est plein de surprises.

4. 1. **Ce qui** nous dérange parfois dans cet appartement, c'est le bruit.

2. Nous n'avons pas peur de **ce que** le directeur nous annoncera demain.

3. Elle a pris tout **ce qu'**elle a fait : ses dessins, ses sculptures, ses tableaux.

4. **Ce que** vous pouvez faire, c'est appeler la compagnie d'autobus et demander si vous pouvez modifier votre billet.

5. La peinture, c'est **ce qui** intéresse ma copine Gisèle.

6. **Ce que** les touristes aiment le plus au Canada, c'est la nature.

7. On ne sait pas encore **ce qu'**on va offrir à Tatiana pour sa fête.

8. Tu sais **ce qui** me ferait vraiment plaisir ? Une boîte de chocolats.

9. **Ce qui** est bien avec cette voiture, c'est qu'elle ne consomme pas beaucoup d'essence.

5. — Est-ce que je peux vous aider ?

— Nous aimerions avoir des informations sur les activités offertes cette session.

— Lesquelles ? Les activités culturelles ou sportives ?

— Culturelles.

— Ah, très bien. Voici notre dépliant.

— Pardon, **qui** donne les cours de peinture sur soie ?

— Une artiste qui fait ce travail depuis longtemps. Les cours se donnent le jeudi soir ou le samedi matin.

— **Celui** du jeudi s'adresse aux débutants, **celui** du samedi, aux intermédiaires.

— C'est **celui-là** que je devrais prendre alors. On travaille avec **quoi** au juste ?

— Un pinceau, de la peinture, un morceau de tissu, un foulard, un chemisier. La prof va vous expliquer.

— Offrez-vous des cours de danse ?

— Oui, tous **ceux-ci**. Regardez la liste : hip hop, tango, salsa, merengue, danses africaines…

— **Lequel** tu aimerais, Jean-Philippe ?

— Je ne sais pas trop.

— Je suis sûre que tu aimeras **ça**, regarde, cours de tango.

— Pardon madame, **laquelle** de ces deux monitrices travaille avec les jeunes enfants ?

— C'est Nathalie.

L'ADVERBE   P. 51

1. 1. — Quelqu'un vous accompagne?

— Non, personne ne m'accompagne. Je suis venu tout seul.

2. — Avez-vous encore quelques tomates du Québec?

— Non, je n'en ai plus. Mais j'ai d'autres légumes de saison.

3. — Sortez-vous le soir en semaine?

— Non, je ne sors jamais le soir en semaine. Je me couche tôt.

4. — Avez-vous pris un numéro, madame?

— Pas encore. Où sont les numéros?

5. — Vous habitez toujours en Ontario?

— Je n'habite plus en Ontario. J'ai déménagé en Alberta.

6. — Ça fait deux heures que je cherche mes lunettes. Je ne les trouve nulle part.

— Mais voyons maman, elles sont sur ta table de chevet!

7. — Tu peux venir me prendre ce soir à l'université? Je termine tard, vers 22 h.

— Je ne sais pas encore. Moi, je termine vers 21 h 30.

8. — Tu ne prends pas de café?

— Non, merci. Je ne prends jamais de café le soir. Si j'en prends un, je ne peux plus dormir après.

9. — Vous avez six croissants, deux pâtisseries au chocolat et un pain français. Quelque chose d'autre avec ça, madame?

— Non, rien d'autre. Ça ira comme ça. Merci beaucoup.

2. 1. quelque part / nulle part

2. encore / plus

3. toujours / jamais

4. parfois / souvent

5. quelque chose / rien

6. toujours / plus

7. trop / pas assez

8. quelqu'un d'autre / personne d'autre

3. 1. poliment   4. absolument   7. parfaitement

    2. certainement   5. simplement   8. tranquillement

    3. patiemment   6. délicatement   9. fréquemment

4. 1. Je ne pourrai pas rester cet après-midi. Je n'ai pas suffisamment de temps pour tout faire.

    2. Je lui ai expliqué gentiment qu'elle devra revenir chercher ses résultats la semaine prochaine.

    3. Nous avons fêté bruyamment le départ à l'étranger de notre ami Ivan Lasnier.

    4. Nous voulons aller faire un tour en librairie pour voir tous les titres parus récemment.

    5. Mes enfants parlent couramment l'anglais et se débrouillent en espagnol.

    6. Béatrice va beaucoup mieux. Sa jambe lui fait toujours mal, mais elle peut marcher doucement.

    7. Martin aime profondément la musique baroque. Il a toute une collection de CD.

    8. Il y a eu un accident au coin de chez moi, mais heureusement il n'y a pas eu de blessés.

    9. Zoé a parlé longuement avec sa voisine afin de trouver une solution au problème
       d'infiltrations d'eau dans leur logement.

5. — As-tu mis de la lotion antimoustiques ?
    — Oui, c'est déjà fait.
    — Et de la crème solaire ?
    — Je n'ai pas encore mis de crème solaire. Elle est où ?
    — Vérifie si tu as ta lampe de poche.
    — Oui, j'ai déjà rangé ma lampe de poche dans la partie avant de mon sac à dos.

— Et le sac de couchage ?

— Je l'ai déjà mis dans le sac.

— Le canif ?

— Je ne l'ai pas encore trouvé.

— Tiens, le voilà.

— Ton GPS a encore des piles ?

— Je pense qu'il n'en a plus.

— Je mets ça sur la liste des choses à acheter.

6. 1. Nous allons bien organiser le party de Noël du bureau. Béa a tout prévu. Elle a même contacté un musicien. Nous aurons donc un groupe de musique.

2. Je me nourris généralement bien. Je suis principalement végétarienne, mais je consomme du poulet à l'occasion.

3. Les joueurs ont bien joué. Ils ont tout donné. Les résultats sont parfois décevants, mais ils vont sûrement se reprendre au prochain match.

4. L'Australienne Samantha Stosur était parfaitement préparée pour son match contre l'Américaine Serena Williams. Elle a presque remporté la première manche, mais Williams a été nettement meilleure tout le long du match.

5. La pire performance de tous les temps. Le cycliste André Latour a été obligé d'abandonner brutalement la course à cause d'une blessure, mais il compte revenir l'an prochain. Latour a eu une année plutôt difficile avec seulement une victoire à son actif.

6. Les enfants viennent à peine de sortir. Ils sont allés jouer dehors. Il fait tellement beau aujourd'hui ! Plus tard, on préparera du chocolat chaud.

7. 1. Conversation téléphonique : des nouvelles de Peter

— Tu sais que Peter part en Chine le mois prochain ?

— Vraiment ? Non, je ne savais pas.

— Oui, il vient de décrocher un contrat très intéressant.

— Il s'est mis au chinois ?

— Non, pas du tout. Il dit qu'il va essayer d'apprendre sur place. Il est plutôt courageux, laisse-moi te le dire.

— Bonne chance avec le chinois, c'est une langue très difficile à apprendre.

— Certainement.

2. Dans un bureau d'architectes

— Je ne sais pas ce qui arrive à Gaston. Ça fait trois jours qu'il refuse de me montrer les plans du nouveau projet. Pourtant, je n'ai rien à voir avec ce projet. Je travaille sur autre chose en ce moment.

— Franchement ! Moi non plus, je ne sais pas ce qui lui arrive. Il est étrange ces derniers jours. Tu vas lui parler ?

— Absolument pas. Je vais plutôt attendre quelques jours.

3. Pendant la pause café

— Gilles organise une épluchette de blé d'Inde, mais toi, tu n'es pas invité et moi non plus.

— Moi, je m'en fiche éperdument. De toute manière, j'ai autre chose à faire samedi. Toi, tu es vexé ?

— Nous ne sommes pas vraiment très proches. Je trouve ça plutôt normal.

— Tu as tout à fait raison. Bon, au travail !

8. 1. Les chances de gagner un prix à ce concours sont presque nulles. Il y a des milliers de participants.

   2. Pour les curieux, la Chine est une destination bien plus intéressante que les plages des Caraïbes. Il y a beaucoup plus de choses à voir et à apprendre.

   3. Ce voyage ne dure qu'une petite fin de semaine. Alors, j'apporte très peu de choses : un pantalon, une chemise, un imperméable et rien d'autre.

   4. Sophie vient à Québec cette fin de semaine. Elle a déjà séjourné ici, mais elle ne connaît presque rien. Ce sera l'occasion de lui faire visiter les sites intéressants.

   5. Nous avons appelé tous les candidats qui étaient sur la liste. Mais nous avons encore des postes disponibles et il n'y a personne d'autre pour les combler. Il faut passer une annonce.

   6. Antony s'adapte très bien à sa nouvelle vie à Montréal. Il a déjà un emploi et pas mal d'amis.

   7. Nous vous offrons des prix très compétitifs, un service après-vente impeccable et plus encore !

   8. Cette année, la programmation de la Place des arts est nettement plus intéressante que celle de l'année dernière.

   9. Bon, j'ai trouvé un appartement. Le propriétaire me propose de signer le bail demain ou lundi. Lundi, ça irait, mais demain ce serait encore mieux.

   10. — Comment va Frédéric depuis son accident de vélo ?
      — Il va mieux, heureusement. Il n'a presque plus mal à la jambe, mais il suit encore des traitements de physiothérapie pour son bras.

LA COMPARAISON   P. 61

1. 1. Avec Kaki, on a plus de minutes la fin de semaine qu'avec City.

2. Avec Kaki, on peut envoyer autant de messages textes qu'avec City.

3. Avec Kaki, on a droit à autant d'appels entrants gratuits qu'avec City.

4. Si tu prends Kaki, tu as moins de minutes en prime que si tu prends City.

5. Kaki coûte aussi cher que City.

2. 1. Loïc finissait son biberon plus rapidement que Cédric.

2. Cédric souriait plus que Loïc.

3. Loïc pleurait moins que Cédric.

4. Loïc aimait plus s'amuser avec ses jouets que Cédric.

5. Loïc bougeait moins que Cédric.

6. À un an, Cédric parlait autant que Loïc.

3. — Bon, nous avons deux bons candidats pour le poste. Ils ont presque les mêmes compétences.
— C'est vrai. Monsieur Fauré est très expérimenté.
— Oui, mais monsieur Labonté a plus d'années d'expérience que monsieur Fauré. Il faut voir ça.
— Tu as raison. Il a plus d'années d'expérience que lui et il a le même nombre de formations spécialisées.
— Oui, et monsieur Labonté est très bon, mais il a vendu moins de voitures que monsieur Fauré.
— La différence est de vingt véhicules seulement, ce n'est pas énorme. Il faut regarder les qualités humaines aussi. Monsieur Fauré est plus sympathique que monsieur Labonté et il est plus sociable que lui, deux qualités essentielles avec le public. Et il est aussi sérieux et aussi expérimenté que Monsieur Fauré. Alors…

— Je suis d'accord, mais je crois que monsieur Fauré est plus dynamique que monsieur Labonté. Ce sera très difficile de trouver un meilleur candidat que lui.

— Ah non, moi, je crois que monsieur Labonté est un bien meilleur candidat. Il a un véhicule personnel tandis que monsieur Fauré n'en a pas et il est disponible alors que monsieur Fauré a un cours à l'université le vendredi soir.

— Je suis d'accord, même si monsieur Labonté est moins sociable et moins sympathique que monsieur Fauré, et même s'il a moins d'années d'expérience que lui, c'est le meilleur candidat.

— Oui, de toute manière, ce serait bien de conserver le CV de monsieur Fauré, au cas où.

— Entendu.

4. 1. Les soldes d'hiver sont plus intéressants que ceux d'été.

2. J'aime beaucoup plus le parfum de Paloma que celui de Dior.

3. Je prends plus souvent la voiture de Francis que celle de Grégoire.

4. L'autobus de 8 h est plus rapide que celui de 9 h.

5. Mes fleurs poussent plus vite que celles de mon voisin.

6. Le spectacle de la semaine passée m'a plu beaucoup plus que celui d'hier soir.

7. Les photos de Tomas sont plus belles que celles de Paul.

8. J'aime mieux l'emploi que j'ai maintenant que celui que j'avais chez Unisoft.

9. Les téléphones cellulaires modernes sont plus chers que ceux d'avant.

5. — Que penses-tu de ce manteau, maman ?

— Il est très joli.

— Et celui-ci ? Il est aussi bien que l'autre.

— Oui, mais il est **un peu plus** cher. Tu vois, il est à 200 $ **alors que** l'autre est à 150.

— C'est une bonne différence. Mais essaie-les, pour voir.

— Oui, tu as raison…

— Ah, le brun te va très bien ! Et il a l'air chaud. Tu l'aimes ?

— Je ne sais pas trop.

— Essaie le noir.

— Ah, c'est vrai qu'il est **plus** cher, mais il me va **beaucoup mieux** !

— C'est vrai, c'est 50 $ **de plus**, et il est **beaucoup plus** long que le brun. Pour l'hiver, c'est **mieux**.

— Oui, mais tu ne trouves pas qu'il est **moins**… je ne sais pas, **plus** classique que l'autre ?

— Peut-être…

— Bon, je prends le brun, il me plaît **plus** que le noir.

CORRIGÉ

6. 1. La bibliothèque la plus grande du monde : la bibliothèque du Congrès à Washington

2. La rue la plus longue du monde : la rue Yonge à Toronto

3. Le lac d'eau douce le plus profond du monde : le lac Baïkal

4. Le plus grand pays du monde : la Russie

5. L'hôtel le plus cher du monde se trouve à Las Vegas.

6. Le train le plus rapide du monde est chinois.

7. L'arbre le plus imposant du monde se trouve en Californie.

8. L'animal le plus dangereux pour l'homme : le moustique.

9. L'oiseau le plus petit du monde : le colibri-abeille.

7. 1. J'ai changé d'emploi il y a un mois, maintenant j'ai un meilleur salaire et de meilleures conditions de travail.

2. Grâce aux cours de français en immersion que j'ai pris, je parle mieux que l'année dernière.

3. Mon français est meilleur que mon anglais.

4. Christian fait très bien la cuisine, mais c'est Claire qui fait les meilleurs gâteaux.

5. Jean s'est cassé la jambe, mais il va beaucoup mieux qu'il y a un mois.

6. Karl a une **meilleure** compréhension des mathématiques que Nicolas.

7. Tu sais où je peux trouver les **meilleures** crèmes glacées en ville?

8. J'aime **mieux** les films d'aventure que les documentaires.

9. Il vaut **mieux** réserver si on veut dîner au restaurant le soir de Noël.

8. Cette année, le Festival des films du monde nous en a mis plein la vue. C'est le film *Dancing with Tom* qui a obtenu le prix du meilleur film. Le film que le public a **le plus** aimé est sans doute *Retour improbable*, une excellente réalisation qui a gagné le prix du **meilleur** scénario. L'actrice Frida Acosta a remporté le prix de la **meilleure** actrice pour son rôle dans *Je savais que c'était toi*. Le film **le moins** applaudi a sans doute été *Le retour de l'homme loup*. Plusieurs films étrangers étaient également au rendez-vous. Le film **le plus** attendu était sans doute *Kidnapping express*, une coproduction Espagne France.

La production **la moins** chère? *La chambre noire*. Le film a été réalisé avec un budget de 1 500 $. Et **le pire** acteur de tout le Festival? On ne vous le dira pas. Une chose est certaine, la programmation de cette année nous prouve que ce festival est en **meilleure** santé que les années précédentes.

LES PRÉPOSITIONS   P. 70

1. 1. de la crème glacée **à la** vanille

2. une tarte **aux** framboises

3. un steak **au** poivre

4. du canard **à l'**orange

5. des profiteroles **à la** crème fouettée

6. une omelette **aux** épinards

7. un rôti **aux** légumes

8. du pain **à l'**aneth

9. une pâte **à** pizza

10. un café **au** lait

11. une tarte **aux** pommes

12. un pot-**au**-feu

13. un bol **à** salade

14. des escargots **à l'**ail

2. 1. — Qu'est-ce que tu vas offrir à Martine pour son anniversaire ?
   — Un livre **d'**art. Elle adore l'art.
   — Moi, j'opte pour un billet **de** spectacle.

2. — As-tu lu les critiques **du** dernier film de Brian Spears ?
   — Il y a un article dans le journal **de** ce matin.

3. — Papa, tu m'achètes un sac **de** croustilles ?
   — Oui, mais alors tu laisses le paquet **de** gomme.

4. — Tu viens avec nous cet après-midi ? Nous allons au Jardin botanique. On prend le métro.
   — D'accord, on se retrouve au guichet **de la** station Pie-IX ou devant l'entrée **du** Jardin botanique ?
   — Comme tu veux.

5. — As-tu été au nouveau centre **d'**achats qui vient d'ouvrir près de chez toi ?
   — Non, je n'ai pas eu le temps **de** sortir ces derniers temps. Je prépare mon examen d'admission aux HEC.

3. 1. Tempête au nord du lac Saint-Jean : l'arrivée des secours ne se fait pas attendre.

   2. Voyage du premier ministre : trois jours au Brésil et deux au Chili.

   3. Avis aux intéressés : le film de Bob Liré est déjà à l'affiche.

   4. Défense des droits de l'homme : une nouvelle commission voit le jour.

   5. C'est ouvert du lundi au vendredi, de 8 h 30 à 16 h 30.

   6. Voies réservées aux heures de pointe

   7. Augmentation de la dette : les experts analysent la situation des États-Unis, du Canada, de l'Italie et du Japon.

   8. Bilan des vacances de la construction : dix blessés sur les routes du Québec.

   9. La circulation devient difficile au printemps à cause des travaux.

4. Marie-Christine et Pablo viennent d'ouvrir un petit commerce, car Pablo a arrêté de travailler pour Artice. Tous les deux ont décidé alors de se lancer en affaires et d'ouvrir un petit restaurant végétarien. Leurs amis les ont aidés à décorer l'endroit.

   Pablo a été obligé de demander un prêt à la banque, mais il a réussi à obtenir une aide pour les jeunes entrepreneurs. Marie-Christine s'est inscrite à un cours de comptabilité.

   Dans leur resto, ils servent seulement des plats faits à base de produits biologiques. Ça fait longtemps que Marie-Christine s'intéresse à la cuisine végétarienne parce qu'elle correspond parfaitement à ses valeurs. Pablo et Marie-Christine sont fiers d'avoir entrepris ce projet ensemble et pensent déjà à ouvrir un deuxième restaurant.

5. 1. Beaucoup de voyageurs vont **dans** l'Ouest canadien pour voir des paysages fééériques et de grands espaces.

2. L'avion va atterrir **à** Halifax avant de mettre le cap sur Toronto.

3. Il y a énormément d'auberges sympathiques **dans** les Cantons-de-l'Est.

4. **À** Montréal et **à** Québec, les gens parlent surtout français dans la rue.

5. Beaucoup de Canadiens vont **aux** États-Unis pour les vacances.

6. On mange et on boit très bien **en** France.

7. On peut s'offrir de très belles vacances **à** Cuba.

8. Beaucoup de compagnies spécialisées en nanotechnologies s'installent **en** Inde.

9. La conférence annuelle sur les changements climatiques se tient **au** Brésil.

6. 1. Le docteur Bellavance a son cabinet rue des Érables. Ça fait longtemps que je travaille **avec** lui.

2. Je suis allée **à** une vente de garage. J'ai acheté des assiettes **à** 1 $ chacune.

3. Philipe va passer **chez** le fleuriste tout à l'heure. Il veut acheter des fleurs à Geneviève pour son anniversaire.

4. Je fais toujours mes déplacements courts **en** autobus, c'est plus pratique que la voiture.

5. Plusieurs évènements se tiennent **dans** les rues de Montréal pendant l'été.

6. Je n'ai pas de garage, je stationne ma voiture **dans** la rue.

7. Je garde toujours une boîte de mouchoirs **dans** la voiture.

8. Véronique va au travail **à** pied. Elle habite **à** dix minutes du bureau.

9. **En** hiver, les embouteillages **aux** heures de pointe sont importants **dans** la région de Montréal. **Sur** certaines artères, il est presque impossible de circuler.

7. 1. Qu'est-ce qu'on prépare **pour** les enfants? Des pâtes?

2. Je vais passer **par** la porte arrière, il y a moins de neige.

3. Ils nous ont donné la réponse **par** téléphone.

4. Je me suis renseignée : une chambre **pour** nous deux, c'est 140 $ **par** jour.

5. **Pour** envoyer un SMS, tu dois appuyer sur cette touche.

6. J'ai vendu ma voiture **pour** 1 500 $. Elle était vieille, mais fonctionnait encore très bien.

7. Je pars **pour** dix jours. En mon absence, vous pouvez vous adresser à madame Clément.

8. **Pour** quelle raison as-tu refusé de payer tes assurances?

9. Il y a des œufs et du bacon **pour** déjeuner ce matin.

10. Les suspects ont été arrêtés **par** les services de police.

CORRIGÉ

L'INTERROGATION   P. 78

1.

1. Qu'est-ce que tu veux savoir ?	Que veux-tu savoir ?	Tu veux savoir quoi ?
2. Qu'est-ce qu'ils attendent pour mettre la table ?	Qu'attendent-ils pour mettre la table ?	Ils attendent quoi pour mettre la table ?
3. Qu'est-ce que tu fais demain soir ?	Que fais-tu demain soir ?	Tu fais quoi demain soir ?
4. Qu'est-ce que tu écris en ce moment ?	Qu'écris-tu en ce moment ?	Tu écris quoi en ce moment ?
5. Qu'est-ce que vous faites comme boulot ?	Que faites-vous comme boulot ?	Vous faites quoi comme boulot ?
6. Qu'est-ce que vous prenez comme apéritif ?	Que prenez-vous comme apéritif ?	Vous prenez quoi comme apéritif ?
7. Qu'est-ce que tu préfères ? Une robe blanche ou une robe noire ?	Que préfères-tu ? Une robe blanche ou une robe noire ?	Tu préfères quoi ? Une robe blanche ou une robe noire ?
8. Qu'est-ce que tu prends ?	Que prends-tu ?	Tu prends quoi ?
9. Qu'est-ce que tu dis de ce film ?	Que dis-tu de ce film ?	Tu dis quoi de ce film ?

2. 1. Dans quelle ville avez-vous habité toutes ces années ?

2. À quelle heure êtes-vous arrivé ce matin ?

3. À quelle heure est-ce que vous serez là ?

4. Votre patron, de quelle nationalité est-il ? ou Votre patron, il est de quelle nationalité ?

5. Dans quelle rue se trouve votre bureau ?

6. De quelle couleur est votre voiture ?

7. Pour quel orchestre joue-t-il ?

8. En quelle année avez-vous obtenu votre diplôme ?

9. Pour quelles raisons avez-vous abandonné la politique ?

3. 1. Depuis quand est-ce que ton / votre accès à Internet est coupé ?

2. De quoi as-tu peur ? ou De quoi avez-vous peur ?

3. Vous restez à Rimouski jusqu'à quand ?

4. Depuis quand parles-tu chinois ? ou Depuis quand parlez-vous chinois ?

5. Comment avez-vous réussi à obtenir des billets pour ces dates-là ?

6. Ça fait combien d'années que ta / votre fille habite à Londres ?

7. Le chemin pour arriver au chalet des Durand n'est pas facile. Par où allez-vous passer ?

8. Romina se marie ? Avec qui ?

9. D'où viennent ces pommes ?

4. 1. Les joueurs sont-ils prêts ?

2. Souhaitez-vous une table près de la fenêtre ?

3. Vos bagages sont-ils déjà à la réception ?

4. Comment allez-vous faire cet exercice ?

CORRIGÉ

5. Sortez-vous beaucoup ?

6. Allez-vous prendre des photos de la cérémonie d'ouverture des jeux ?

7. Que fais-tu dimanche soir ?

8. As-tu envie de déjeuner au resto ?

9. Prenez-vous la chambre du 2ᵉ étage ?

5. 1. **Qui est-ce qui** a appelé pendant mon absence ?

2. **Qu'est-ce qui** te ferait plaisir pour ton anniversaire ?

3. **Qu'est-ce que** vous pensez des nouvelles politiques économiques du gouvernement ?

4. **Qu'est-ce qui** se passe avec le téléphone de la salle de conférence, la ligne est coupée ?

5. **Qui est-ce que** vous avez l'intention d'inviter à cette réunion ?

6. **Qui est-ce qui** vous a répondu cette semaine ?

7. **Qu'est-ce que** tu vas voir au cinéma ?

8. **Qu'est-ce qui** vous intéresse dans l'œuvre de ce compositeur ?

9. **Qu'est-ce que** tu utilises comme moyen de transport ?

NDEX GRAMMATICAL

INDEX GRAMMATICAL